LLYFRGELL Hugh Owen LIBRARY

Dychweler y llyfr hwn erbyn y dyddiad diwethaf
a nodir isod neu cyn hynny. Os gofynnir am y
llyfrau gan ddarllenydd arall yna gellir eu galw'n ôl.

This Book should be returned before or on the
last date stamped below. Books are liable to be
recalled if required by another reader.

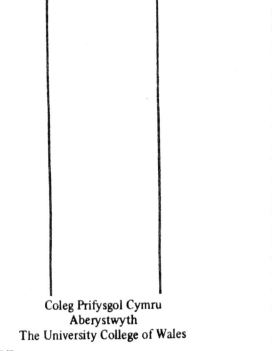

Coleg Prifysgol Cymru
Aberystwyth
The University College of Wales

LF 75/5

Edmond et Jules de Goncourt
Lettres de jeunesse inédites

Centre de Recherches, d'Etudes
et d'Editions de Correspondances du xixᵉ siècle
de l'Université de Paris-Sorbonne (Paris IV)

Correspondances

Edmond et Jules de Goncourt

Lettres de jeunesse inédites

ALAIN NICOLAS

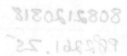

Presses Universitaires de France

L'Université de Paris-Sorbonne (Paris IV) n'entend donner aucune approbation ni improbation aux opinions émises dans ce volume. Ces opinions doivent être considérées comme propres à leur auteur.

ISBN 2 13 036940 5

1re édition : 4e trimestre 1981
© Presses Universitaires de France, 1981
108, Bd Saint-Germain, 75006 Paris

Avant-propos

Nous tenons tout d'abord à remercier très vivement Alfred Dupont qui nous a permis de présenter cette correspondance des Goncourt appartenant à sa collection.

Nous voulons ensuite exprimer notre gratitude à Mme Madeleine Ambrière, professeur à la Sorbonne, qui dirige le Centre de Correspondances du XIXe Siècle ; Mme A. Michel, professeur à la Sorbonne ; Jacques Robichez, professeur à la Sorbonne ; Robert Ricatte, professeur honoraire à la Sorbonne, éditeur du *Journal* des Goncourt.

Nous sommes enfin reconnaissants envers toutes les personnes nous ayant communiqué des renseignements pour l'annotation des lettres, notamment Mme Lutun, graphologue ; Mlle Deslandres, directeur du Centre de Documentation du costume ; Mlle Py, conservateur à la Bibliothèque de l'Arsenal ; M. Agulhon, professeur d'Histoire à l'Université de Paris I ; G. Carrier, président du Syndicat d'Initiative de Paray-le-Monial ; D. Cohen, professeur d'Islamologie à l'Université de Paris III ; M. Perrat, conservateur de la Bibliothèque municipale d'Autun ; J. Vigny, adjoint au maire de Mussy ; J. Weinling, maire de Bar-sur-Seine ; les Pères Bibliothécaires de l'abbaye Notre-Dame de Cîteaux et du monastère de la Grande-Chartreuse.

Introduction

Dans sa préface à *La création romanesque chez les Goncourt*, Robert Ricatte écrit : « Pour reconstituer ces actes de deux écrivains au travail, on aimerait disposer de tous les documents possibles, manuscrits des œuvres, correspondance et papiers intimes... On sait d'autre part que Jules était l'épistolier habituel, chargé de toute la correspondance littéraire et familiale » (1). Les lettres que nous présentons répondent à ces vœux.

Les deux frères, et non uniquement Jules, les ont adressées à des cousins qu'ils évoquent dans leur *Journal* avec un relatif dédain. On pourrait craindre que cette correspondance traite de sujets peu intéressants. Il n'en n'est rien. Nous avons d'abord replacé la famille Labille dans son contexte de Bar-sur-Seine afin d'apprécier dans quelle mesure ce milieu a joué un rôle dans la vie des Goncourt. Nous avons ensuite tenté de découvrir la personnalité des deux frères par le biais de leurs lettres. Nous souhaitons ainsi que ces notes de voyage, ces détails biographiques sur leur vie domestique et sur leurs débuts littéraires, ces considérations sur leur époque, contribuent à faire mieux connaître les Goncourt et leur temps.

Avant la Révolution, Jean-Antoine Huot avait épousé à Brévannes Mlle Marguerite-Rose Diez dont il eut deux fils (voir notre tableau de la parenté des Goncourt du côté paternel). Le cadet, Marc-Pierre, officier supérieur de la Grande Armée, épousa Mlle Annette-Cécile Guérin à la fin du mois de juin 1821. Installés d'abord à Bourmont, ils déménagèrent à Nancy en 1822, ville où Edmond naquit le 26 mai. Ils vinrent ensuite habiter Paris et se logèrent 22, rue Pinon, aujourd'hui rue Rossini. Jules y naquit le 17 décembre 1830. Restée veuve en 1834, la mère des Goncourt se dévoua à l'éducation de ses fils, avant de s'éteindre le 5 septembre 1848.

(1) *Op. cit.*, p. 28.

Le frère aîné de Marc-Pierre, Pierre-Antoine-Victor, né à Bourmont le 23 juin 1783, capitaine d'artillerie sous l'Empire, termina ses jours comme entrepositaire des Tabacs à Neufchâteau. Elu par 44 000 voix en 1848, il représenta les Vosges à l'Assemblée nationale et à la législative où il ne se faisait appeler que Huot ([2]). Le 2 décembre 1851, il fut arrêté lors du coup d'Etat puis relâché([3]). Il mourut le 12 juillet 1857 ([4]). « C'était un grand honnête homme : tout cela, mais rien de plus [...] C'était au physique un ancien capitaine d'artillerie, un peu sourd, brusquement cordial, appelant tout le monde *mon camarade* » ([5]).

Il avait épousé une cousine, Virginie Henrys, et il était le père d'une fille, Bathilde-Antoinette-Augusta, née en 1815 à Bourg-Sainte-Marie, près de Bourmont. Elle épousa Léonidas-Eugène Labille, né en 1803 de Louis-César-Auguste Labille (1770-1865), avocat, juge suppléant à Bar-sur-Seine, adjoint au maire en 1821, et de Marie-Brigitte-Françoise de Breuze (1772-1850).

« Le Léonidas était un monstrueux gaillard. Il tenait du moine, du porc et du taureau, du bouc et du satyre : c'était le propriétaire Farnèse. Il avait conspiré. Il avait été carbonaro, et tout... Il avait été expulsé du Droit de Paris, manqué d'être condamné à mort. Béranger était son Dieu ; *Gaudriole et République* était sa devise [...] Il était républicain et plus dur que l'usure au paysan. Il n'avait pas de rideau à la fenêtre de sa chambre conjugale. Il couchait avec ses bonnes ou les chassait. Il aimait le torchon, la piquette. Il était peuple (...) Il lisait du Jouy et la *Guerre des Dieux*. Il croyait à l'imprimé. Il était intolérant et insociable, écrivait des injures anonymes aux corrompus, avait un Dieu en plâtre dans sa biblio-thèque, Béranger, et couchait avec sa femme dans une chambre sans table de nuit. Il était le fils d'un homme condamné pour n'avoir pas salué une procession et blasphémait du matin au soir » ([6]).

L'athéisme mordant de Léonidas, son côté « baiseur et gaudrio-leur enragé » ([7]) le rendaient sympathique à ses deux cousins. Nous connaissons leur goût pour ces discussions franches et souvent gauloises qu'ils entretenaient par exemple avec Flaubert ou Gautier au cours des dîners chez Magny. Par ailleurs, Edmond recherchait des gravures et Jules des autographes pour enrichir les éditions de Béranger que Léonidas collectionnait ([8]). Outre des recueils de

([2]) L. III, n. 8.
([3]) L. XVI et XVII.
([4]) L. XXVII.
([5]) *J.*, t. II, p. 143.
([6]) *J.*, t. I, pp. 59-60.
([7]) *J.*, t. IV, p. 30.
([8]) Voir L. II et L. XIV.

chansons badines, Jules lui envoya même un jour les *Œuvres complètes* de Machiavel et de Brantôme ([9]). Ce côté bibliophile n'était pas non plus pour leur déplaire.

Nous avons pu retrouver six lettres de Léonidas Labille : un billet laconique non daté où il donne rendez-vous au Café Anglais ([10]) et cinq lettres d'affaires où il évoque la perception parfois difficile des fermages ([11]). Les deux frères se montrent fréquemment reconnaissants envers leur cousin qui se dépensait beaucoup pour ces questions matérielles : « Nous usons de toi, à en abuser. Ces mille ennuis, ces casse-tête d'additions et de polémique rurale qu'on a tant de peine déjà à subir pour soi-même, tu as bien voulu les endosser pour nous », reconnaît Jules ([12]).

Voici un état des terres qui appartenaient aux deux frères ; il permettra de mieux comprendre les allusions faites dans notre correspondance à leurs fermes et à leurs fermiers ([13]).

Leur père leur avait laissé trois fermes en Haute-Marne. Tout d'abord le « petit terrage » de Breuvannes composé de « terres labourables, prés et chennevière » et cultivé par Jean-Baptiste Miellot. Ils le vendront en 1854 à Charles Morlot pour 13 500 F. Une autre ferme, sise aux Gouttes-Basses à Breuvannes, était cultivée par la famille Flammarion. En 1833, la terre est partagée en deux lots, dont l'un continue d'être cultivé par les Flammarion, tandis que l'autre est donné en fermage aux Semard. Antoine Semard étant mort, le bail passe à son beau-frère Jean-Baptiste Foissey, à qui les Goncourt renouvellent son bail pour neuf ans en 1852. L'ensemble de ces deux lots forme une terre de 108 ha 14 a, et constitue leur principale source de revenus ([14]). Les Goncourt tentent, dès juillet 1862, de la mettre en vente par l'intermédiaire de Me Lambert, notaire à Chaumont. Ils la vendront seulement le 19 juin 1868 ; l'argent obtenu leur permettra en partie d'acheter leur maison d'Auteuil. Ils possédaient enfin une ferme à Fresnois, cultivée par Nicolas Philippe, puis par Louis Philippe. Les Goncourt vendront cette terre de 29 ha à Alexandre Fribourg pour 34 000 F. Léonidas surveillait ainsi l'exploitation de ces terres

---

([9]) Voir L. XXXV.

([10]) Ce billet se trouve à la Bibliothèque nationale, *Correspondance adressée aux Goncourt*, Nouvelles acq. franç., n° 22467, f. 7.

([11]) Ces cinq lettres sont à la Bibliothèque de l'Arsenal, *Archives Goncourt*. Nous en avons donné des extraits : L. XXVIII, n. 3, et L. XXXVI, n. 3.

([12]) L. XV, p. 73.

([13]) Les *Archives Goncourt* conservées à la Bibliothèque de l'Arsenal renferment de très nombreux documents concernant ce sujet.

([14]) C'est aussi la ferme que Jules et Edmond évoquent le plus dans notre correspondance. Léonidas doit s'occuper des problèmes de « rembaillement » (cf. L. XIII, XIV), faire payer les fermiers pour les travaux et les impôts qui leur sont échus (cf. L. XX, XXIII)...

avec l'aide de Paul Collardez à Breuvannes ([15]) et celle de Chappier à Fresnois ([16]). Il se chargea aussi de la vente des Gouttes-Basses et de Fresnois ([17]).

Léonidas mourut le 25 janvier 1868. Les deux frères assistèrent à son enterrement pendant « deux heures mortelles et glacées, pendant lesquelles on a aspergé de latin d'église ce cadavre voltairien, dont la vie avait eu Béranger pour Evangile et dont la Mort avait fermé la bouche sur un refrain de la mère Godichon » ([18]).

Edmond et Jules avaient beaucoup moins de sympathie pour sa femme Augusta, « une divinité terrible de l'Inde, avec des yeurs noirs dans des paupières dures et comme arrêtées au couteau par des peuples sauvages ; une bouche immense, à manger des sacrifices humains, avec des dents de scie » ([19]). Ils lui reprochent surtout d'incarner « le type de la fausse distinction, de la distinction de condition sociale, de celle qui ne vient ni de l'esprit ni du cœur ni du tact. Elle est la femme de ce qui est reconnu bon genre, de ce que dans le faux bon monde, on appelle le *chic* » ([20]). Les lettres qui lui sont adressées, treize seulement sur quarante-trois, ont un ton moins affectueux que les trente autres destinées à son mari. Elle mourut à Bar-sur-Seine le 6 octobre 1871 ([21]).

Le 30 août 1837, Augusta mit au monde Eugénie, surnommée parfois Mimie ou Mimi à cause de son autre prénom, Noémie. Les Goncourt lui reprochent, comme à sa mère, ce « *bon genre* dans son étroitesse, sa sécheresse et sa profondeur de sottise et toute sa superficie de préjugés » ([22]), encore une « femme de toutes les fausses distinctions » ([23]). Les deux femmes avaient une mentalité de parvenues. La mère voulait donner à son fils Eugène le patronyme de Labille de Breuze, ce qui fit bien rire les deux frères ([24]). La fille, trouvant aussi le nom de Labille vulgaire et désirant le faire suivre d'une particule, demanda à Edmond si elle pouvait lui ajouter celui de Goncourt. Le maître d'Auteuil refusa que « ce nom devienne la marque de famille de petits *bêtas* provinciaux » ([25]). Augusta et Eugénie incarnaient bien la femme, « cet animal religieux et

---

([15]) Paul Collardez, fils d'un notaire de Breuvannes, vieil ami des Goncourt (cf. L. XXXIV).
([16]) Chappier, domestique de leur oncle Pierre-Antoine-Victor, le père d'Augusta, (cf. L. II, n. 7). Sur la vente de Fresnois, voir L. XXXII.
([17]) Voir L. XLII et XLIII.
([18]) *J.*, t. VIII, p. 81.
([19]) *J.*, t. III, p. 64.
([20]) *J.*, t. IV, p. 39.
([21]) Voir *J.*, t. X, p. 34.
([22]) *J.*, t. V, p. 128.
([23]) *J.*, t. IV, p. 216.
([24]) Voir *J.*, t. IV, p. 221.
([25]) *J.*, t. X, p. 133.

bourgeois » (^{26}), pour les misogynes qu'étaient Jules et Edmond.

Eugénie épousa Ludovic Lechanteur, auditeur au Conseil d'Etat, en mai 1856. Le *Journal* nous livre cette anecdote sur le jeune ménage : « La petite cousine Lechanteur et son petit mari ont monté notre quatrième... Pas un mot de nos livres passés et futurs. Lesquels gens, si on arrive, mettent vos portraits dans leur salon et vos noms sur la glace de la cheminée. Tout homme de lettres devrait prendre un pseudonyme pour déshériter sa famille de son nom » (^{27}). Dans une lettre adressée à Léonidas trois mois après ce mariage, Jules écrit : « *Mademoiselle Mimi* ; une dame, et une parisienne, qui sait se mettre, tiendrait un salon, si elle l'avait, a de jolies robes, un sourire charmant, une excellente tournure de mariée — et cette chose que l'on n'acquiert que quand on l'a : de la grâce. Vous devez savoir son bonheur mieux que nous. Son mari nous a semblé un parfait mari ; fort empressé, fort amoureux » (^{28}). Les allusions toujours mordantes du *Journal* rendent cependant la sincérité de ce compliment douteuse.

Léonidas et Augusta Labille eurent également un fils, Eugène-Auguste, né le 15 mai 1846 (^{29}) et décédé en 1930. Surnommé Marin à cause de son goût pour les métiers de la mer, il vint à Paris en 1857 afin de poursuivre ses études au collège Rollin. Les archives de ce collège, dénommé aujourd'hui lycée Jacques-Decour, nous ont révélé que Marin était un de ces élèves moyens qui « pourraient mieux faire ». Un premier prix d'exercices grecs obtenu en sixième demeure son seul succès scolaire. Pendant les jours de sortie, il rendait visite à ses oncles (^{30}). Comme son père, il ne respectait rien : « même pour ses parents vivants, sa mère, son père, il n'a plus de vénération » (^{31}). Comme son père, il avait le goût de la gaudriole et, quelques années plus tard, racontait aux deux frères attentifs ses exploits amoureux (^{32}). Il épousa une femme très riche, voulut devenir député et gagner des millions en exportant des pommes en Angleterre. Comme son père, il sut inspirer une certaine sympathie aux Goncourt. Le 20 juin 1870, il comparut comme témoin lorsqu'on dressa l'acte de décès de Jules. Edmond, resté seul, se prit alors d'une grande affection pour son neveu. Pendant le siège de la Commune, il fit de longues promenades avec lui (^{33}).

(^{26}) *J.*, t. IV, p. 49.
(^{27}) *J.*, t. II, p. 12.
(^{28}) L. XXV, datée du 22 août 1856.
(^{29}) Voir L. I et II.
(^{30}) Voir L. XXVIII, XXXV.
(^{31}) *J.*, t. VIII, p. 218.
(^{32}) Voir par exemple dans le *Journal*, t. XI, p. 203.
(^{33}) *J.*, t. X, pp. 16 et sqq.

Ils allaient aussi ensemble à Bar-sur-Seine. Si, comme nous l'avons vu plus haut, Edmond souhaitait déshériter sa nièce, il écrivait, en 1893, que son neveu Marin était son « héritier de cœur » [34]. Leurs enfants installés à Paris, les Labille vinrent sans doute les voir quelquefois. Mais, comme notre correspondance le confirme, c'étaient surtout Edmond et Jules qui allaient se reposer à Bar-sur-Seine. Ils s'ennuyaient à la campagne et l'aimaient un peu comme ils aimaient les femmes, par mesure d'hygiène, sans adhésion du cœur. Jules dépeint ainsi Bar-sur-Seine à Flaubert : « Nous sommes encore à la campagne, déportés volontaires dans notre famille, par raison d'hygiène et d'économie » [35]. Mais s'ils parlent de Bar dans le *Journal* ou à leurs amis avec une certaine condescendance, notre correspondance montre plutôt qu'ils pouvaient jouir là d'une heureuse paresse. Ils y séjournaient régulièrement, chassant et pêchant dans la Seine qui borde la ville. A son bureau de la Caisse du Trésor, Edmond se surprenait « bien souvent, les yeux fermés sur une colossale addition, courant les bois avec toi (Léonidas) ou bien assis au coin de l'âtre de Bar-sur-Seine » [36]. Après la mort de Jules, il a « faim et soif de Bar-sur-Seine et souhaite vivement y passer quelques jours » [37].

La demeure des Labille, comportant des constructions assez disparates, subsiste encore aujourd'hui rue Victor Hugo, ancienne rue du Four-des-Bordes. Après avoir servi de collège, elle a été divisée.

Les Goncourt effectuèrent d'autres séjours familiaux. A La Cômerie, près d'Asnières-sur-Oise, chez leur cousin éloigné Edmond Lefèbvre de Béhaine ; à Neufchâteau, chez leur oncle Pierre-Antoine-Victor, où ils allaient parfois accompagnés des Labille [38] ; à Croissy, chez leur oncle maternel Jules Lebas de Courmont [39]. Après la mort de Jules, Edmond séjournera aussi chez ses cousins Rattier à Jean d'Heurs près de Bar-le-Duc, et chez son ami Alphonse Daudet à Champrosay. Mais, en fin de compte, ils s'arrêtèrent le plus souvent à Bar-sur-Seine, non seulement pour vérifier la bonne marche de leurs fermes, mais aussi pour se détendre et oublier leur existence parisienne auprès de leurs cousins.

Il serait bon d'ajouter ici que le milieu de Bar-sur-Seine revêt une certaine importance pour les personnages et les situations qu'il a pu fournir à Jules et Edmond romanciers. On pourra lire à ce sujet

[34] *J.*, t. XIX, p. 172.
[35] Lettre du 7 septembre 1862, publiée dans les *Lettres de Jules de Goncourt.*
[36] L. II.
[37] L. XLII.
[38] Voir L. XXI.
[39] Voir L. XXVI.

La création romanesque chez les Goncourt de Robert Ricatte, étude exhaustive des sources diverses auxquelles les deux frères puisèrent ; Robert Ricatte note que « toute cette famille est assez lointaine pour qu'ils les jugent sans indulgence, mais suffisamment proche pour leur révéler des trésors d'humanité des types infiniment curieux dont leurs romans seront nourris » [40]. Voici les ouvrages directement inspirés par le milieu de Bar-sur-Seine :

Le deuxième récit d'*Une voiture de masques* (1856) dépeint la vie de Victor Chevassier, homme de qualité perdu dans une campagne ennuyeuse et qui « prend la fièvre à voir cette nature qui ne répond rien » ; ce personnage incarne leur ami Paul Collardez.

Les anecdotes de Labille, les souvenirs lorrains des Goncourt ravivés par leur séjour à Bar-sur-Seine [41] illustreront des passages de *Charles Demailly* (1860).

La maison paysanne que décrit avec nostalgie une des malades de *Sœur Philomène* (1861) a son jardin inspiré par le verger des Labille ; l'expression « travailler comme des satyres » vient de Foissey, leur fermier des Gouttes-Basses [42].

Renée Mauperin (1864), roman de la jeune bourgeoisie, demeure l'ouvrage où la famille Labille a le plus influencé la composition des personnages. Bourjot, le père de Noémie, illustre le type cher aux Goncourt du *fantastique bourgeois* [43] ; féroce et ridicule, milliardaire et ancien carbonaro, avare et lubrique, c'est le portrait de Léonidas lui-même. Renée Mauperin incarne Blanche Passy, la sœur de Louis Passy, le grand ami de Jules ; on retrouve aussi dans la mère de Renée la mentalité parvenue d'Augusta : « Pour *la Bourgeoisie*, type : Mme L... (Labille), communiant tous les huit jours pour marier son fils » [44]. Il en va de même pour Eugénie et Marin : « Ma petite cousine... continue-t-elle à être assez la Mme Davarande de *Renée Mauperin* » [45]. Le jeune Mauperin, lui, a eu la même éducation que Marin. Comme Mme Mauperin, Augusta a tenu à faire éduquer Marin dans un « collège chic », le collège Rollin [46].

Cette correspondance familiale traite en grande partie d'événements domestiques : la naissance d'Eugène [47], le mariage d'Eugénie, la mort de Mme de Goncourt et de la servante Rose [48],

---

[40] Voir Robert RICATTE, *op. cit.*, p. 32.
[41] *Ibid.*, pp. 107-109.
[42] *J.*, t. II, p. 149.
[43] Voir Robert RICATTE, *op. cit.*, pp. 211 à 218.
[44] *J.*, t. III, p. 107.
[45] *J.*, t. XIII, p. 46. Mme Davarande est la sœur très « snob » de Renée Mauperin.
[46] Voir L. XXVII.
[47] L. I et II.
[48] L. VI et XL.

les maladies, la vie de Marin au lycée, les souhaits de bonne année, les problèmes de fermages... Elle nous livre également d'intéressants détails biographiques sur la vie des deux frères, entre deux événements qui ont marqué assez tragiquement leur existence : la mort de leur mère le 5 septembre 1848 et la mort de leur servante Rosalie Malingre le 16 août 1862. Dans la soirée même de ce triste 16 août, ils dînèrent pour la première fois chez la Princesse et délaissèrent leur existence jusqu'alors boulevardière pour entrer dans une vie plus mondaine. Leur correspondance avec les Labille s'arrête à cette date. Quarante lettres sont en effet écrites entre 1846 et 1862, les trois autres beaucoup plus tard, sous la Commune. La lecture de l'aperçu biographique donné en annexe nous permet de constater qu'elles jalonnent des moments importants de cette première partie de leur vie.

Restée veuve en 1834, Mme de Goncourt s'était presque exclusivement dévouée à l'éducation de son plus jeune fils. Pour lui épargner les séparations du collège, elle s'était retirée du monde. Elle révèle ses qualités maternelles dans les deux premières lettres d'Edmond où elle s'enquiert de la santé d'Augusta sur le point d'accoucher. Elle était très fière de Jules qui poursuivit de brillantes études jusqu'au baccalauréat [49].

Edmond avait lui aussi un profond attachement pour son cadet et se montrait attentif à ses études [50]. « Ecoute mon cher ami, tu as dix-sept ans. De notre famille il ne nous reste que des parents. Tu es mon frère et je suis un peu ton père. C'est vrai, je t'ai un peu élevé », écrivent les Goncourt au premier acte de leur pièce, *Henriette Maréchal*, et ce sont sans doute leurs propres individus et leurs situations réciproques qu'ils ont ainsi mis en scène. Le personnage Pierre de Bréville représente bien un Edmond de Goncourt paternel et désabusé qui sourit aux escapades de son frère Paul, ce Jules avec sa « pétulance qui se traduit par des fractures si fréquentes » [51] En ce qui le concerne, Edmond évoque surtout cet emploi détestable d' « employé-accolade » où la seule distraction permise consiste à unir « des chiffres, toujours des chiffres et encore des chiffres » par l'accolade [52]. Il sort de la Caisse du Trésor « malade de travail, d'ennui, de dégoût » [53].

Ils furent frappés par la perte de leur mère le 5 septembre 1848. Edmond écrit à ce sujet : « Ma pauvre mère après huit jours de

[49] L. IX.
[50] L. VII.
[51] L. I.
[52] L. I.
[53] L. IX.

souffrances inouïes vient de mourir. Ma seule consolation est d'avoir quitté le ministère huit jours avant ce triste événement » (⁵⁴).

Entrés en possession d'une fortune modeste mais suffisante pour épargner à Edmond un emploi qu'il exécrait, les deux frères décidèrent alors de se livrer au métier de peintre qui les avait tentés et, pour cela, d'aller faire leur apprentissage un an ou deux en Italie. Mais l'Italie traversait alors une période très troublée avec Garibaldi, Mazzini et les carbonari. Ils résolurent donc d'effectuer ce voyage culturel en France, puis de visiter l'Algérie. En 1848, l'Algérie venait d'être pacifiée après douze années de conquêtes qui avaient défrayé la chronique. La curiosité des deux frères pour ce pays placé au faîte de l'actualité fut sans doute renforcée par le désir de découvrir un peu de l'Orient et de ses mystères. Dans ses *Mémoires* (Calmann-Lévy, 1865-1869), Alexandre Dumas rapporte que le comte de Salvandy, ministre de l'Instruction publique, remarqua, après avoir visité cette belle contrée : « Il est dommage que l'Algérie soit si peu connue. Comment la populariser ? »

Quatre très belles lettres (⁵⁵) nous offrent un récit détaillé de cet itinéraire capricieux qui les mena de Bar-sur-Seine à Alger. Ils visitèrent tous les endroits pittoresques de la Bourgogne, du Dauphiné et de la Provence : musées, monuments, abbayes. Ils se rendaient aussi chez les antiquaires, rencontraient des personnes diverses leur offrant parfois même l'hospitalité comme le comte de Chabriant au château de Digoine. Ils exécutèrent leurs premiers dessins et aquarelles. Nous en avons reproduit deux en annexe. Leurs notes de voyage, d'abord succinctes, devinrent peu à peu des notes littéraires. Elles ont une grande importance car elles les ont enlevés à la peinture pour leur donner le goût de la littérature. On pourra en lire quelques fragments dans nos annotations, tirés des *Lettres de Jules de Goncourt*. On trouvera également dans notre appendice des extraits du journal *L'Eclair* où ils publièrent en 1852 : « Alger. 1848. Notes au crayon. » Ces textes peuvent être mis en parallèle avec ceux parfois très proches de nos lettres qui en sont un peu le brouillon.

Jules et surtout Edmond racontent les détails pittoresques de leur voyage avec un style impressionniste qui juxtapose les phrases au moyen d'innombrables tirets. Ces sensations subtiles et isolées se réfèrent souvent à l'art, à l'admiration de beaux édifices. Elles s'émaillent de notations réalistes et certaines associations forment d'amusants coq-à-l'âne : « Les ruisseaux sentent mauvais, les

---

(⁵⁴) L. VI.
(⁵⁵) Deux lettres d'Edmond (L. X et XII) et deux de Jules (L. XI et XIII) formant un véritable manuscrit de 23 pages très serrées.

femmes sont jolies » (⁵⁶). Au cœur de la Grande-Chartreuse, Edmond
ne décrit pas avec émerveillement le paysage comme l'aurait fait
un Rousseau ou un Chateaubriand, mais s'amuse à relever « les
détails de la boutique », l'abbaye, et à croquer un portrait irré-
vérencieux des moines dont le cousin Léonidas dut bien rire (⁵⁷).

Dans *Une voiture de masques*, publié en 1856, puis repris sous le
titre *Quelques créatures de ce temps* en 1876, sont évoqués des petits
métiers qu'ils avaient rencontrés au cours de leur randonnée dans
trois récits : *La revendeuse de Mâcon* (une antiquaire), *Le passeur de
Maguelonne* (près de Montpellier), *Un comédien nomade* et *L'ex-
maître de Rumilly*, énorme androgyne qui redoute sa servante.

La lettre de Jules concernant l'Algérie est plus émerveillée
qu'humoristique car les jeunes voyageurs, conquis par la beauté du
pays, préfèrent décrire cette « bigarrure étrange, pittoresque,
éblouissante d'une Babel du costume » (⁵⁸). Le café maure où « un
récitatif monotone berce dans leur rêverie un public d'Arabes
accroupis sur des planches et fumant silencieusement la Chibouck »
est un de ces endroits qui devaient flatter leur sensibilité d'artistes
déjà un peu névrosés.

Jules confère à son récit un ton exotique en utilisant des mots
arabes : « sarma », « fouta », « chibouck », « biskri », « sarcoun »...
de même qu'Edmond nous rend bien vivante cette grosse maman
savoyarde « toute hérissée de pécaire, troun, de nom de gueux »...(⁵⁹).
Ce vocabulaire original et imagé, une syntaxe simplifiée juxtapo-
sant les impressions laissent déjà présager cet instrument neuf
qu'ils voulurent créer plus tard, l'écriture artiste. Ils donneront
droit d'entrée dans quelques-uns de leurs romans à ces termes
expressifs qui peignent par leur sonorité même et à ces expressions
populaires auxquelles ils trouvent tant de saveur. Nous pouvons
même avancer que cette relation de voyage contient en germe leur
tendance naturaliste lorsque nous lisons cette conclusion de la première lettre écrite par Edmond : « nous t'enverrons de Dijon une
suite de nos aventures qui si elles n'ont pas le mérite d'être intéressantes ont le mérite d'être conformes à notre épigraphe : La
vérité, toujours la vérité et encore la vérité » (⁶⁰).

La joie et l'humour, si rares chez eux et dont ils font preuve
dans cette relation de voyage, nous montrent que ces tribulations
demeurèrent un de leurs meilleurs souvenirs : « En un mot, et cela

(⁵⁶) L. XII.
(⁵⁷) L. XII.
(⁵⁸) L. XIII.
(⁵⁹) L. XII.
(⁶⁰) L. X.

est tout l'éloge de notre voyage, l'ennui ne nous a pas encore pris » ([61]) ; cet ennui dont ils devaient tant souffrir par la suite. L'Algérie laissa sur leur mentalité des marques profondes car ils en rapportèrent un goût singulier de l'Orient et des habitudes orientales. Ils exposèrent par la bouche de Coriolis dans *Manette Salomon* cette conception originale de l'Orient qui contraste si violemment avec la conception ordinaire, telle que Decamps l'avait mise à la mode : « On ne trouble point impunément les habitudes du public, ses idées reçues, les préjugés avec lesquels il juge les choses de l'art. On ne contrarie pas, sans le blesser, le rêve que ses yeux se sont fait d'une forme, d'une couleur, d'un pays. Le pays avait accepté et adopté l'Orient brutal, fauve et recuit de Decamps. L'Orient fin, nuancé, vaporeux, volatilisé, subtil, de Coriolis le déroutait, le déconcertait. Cette interprétation imprévue dérangeait la manière de voir de tout le monde, elle embarrassait la critique, gênait ses tirades toutes faites de couleur orientale » ([62]).

Il sera intéressant pour le lecteur de comparer ce récit avec les *Mémoires d'un touriste* de Stendhal qui a emprunté le même itinéraire d'Autun à Avignon et avec la *Correspondance* de Flaubert où certaines lettres de 1858 relatent les impressions de son voyage en Afrique du Nord.

De retour à Paris, ils s'installèrent 43, rue Saint-Georges le 17 décembre 1849. On verra dans notre aperçu biographique qu'ils commencèrent alors leur carrière d'écrivains. Leurs lettres sont à cet égard très éclairantes. Nous renvoyons le lecteur à celles-ci et aux notes que nous avons données pour les éclaircir.

Pour en souligner l'intérêt, citons par exemple ce passage rédigé au lendemain de la fondation de *L'Eclair* : « Mais, nous diras-tu, pourquoi y écrire ? Pourquoi. Pour être édité et lu. Pourvu qu'on étale, qu'importe l'étalage. Cette petite revue va être très répandue. Nous aurons un petit morceau du sceptre du théâtre, et le public, ce flaneur de public, nous fera plus de réputation avec des articles de ce genre, qu'avec notre petit volume consciencieux et travaillé ; dix mois de travail, sans compter les nuits. Ah ! la littérature est une carrière comme une autre qui veut, je t'assure, de l'activité et de l'énergie comme les autres. Enfin nous avons foi ; nous commençons à percer ; aujourd'hui l'*Illustration* parle de notre livre ; demain la *Revue des Deux Mondes* doit en parler. Nous arrivons piano » ([63]).

Jules et Edmond parlent à Léonidas à peu près de tous leurs

---

[61] L. XI.
[62] *Manette Salomon*, Librairie Nouvelle, 1877 ; Charpentier, p. 158.
[63] L. XVIII.

ouvrages parus entre 1859 et 1862. Ils insistent sur deux aspects :
« la sacrée débauche de travail » ([64]) qu'ils ont pour les rédiger et
l'accueil fait par la presse. Les recherches historiques et la création
romanesque les transforment en forçats. Mais il faut aussi « lancer
des articles, les placer, se montrer dans les bureaux de journaux,
et dans leurs colonnes, faire sa carrière soi-même — édifier un
gros volume — et courir après la gloire, qui court plus vite que
nous » ([65]). Comme tout créateur, un article élogieux les réjouit.
Le 10 juin 1854, Jules exulte : « nous sommes très contents : tous
les grands organes de la presse ont dit un long mot de nous ; — et
le *Journal des Débats* lui-même, ce roi des rois de la Presse, qui ne
parle que de bien peu de gens et de bien peu de livres nous consacre
trois grands articles » ([66]).

Les Goncourt confient dans cette correspondance leurs satis-
factions, leurs déceptions et laissent ainsi se dessiner quelques traits
de leur caractère. La galère des lettres, si elle « demande une production au-dessus des forces humaines » ([67]), présente pour eux un
caractère positif : la distraction de l'esprit. Comme les voyages ou
la collection d'objets d'art, le travail intellectuel permet d'échapper
un moment au spleen. Ce pessimisme, cette insatisfaction naturelle
reviennent cependant, renforcés par leur insuccès, l'indifférence
de la critique et du public. « Décidément nous jouons de malheur...
la vie est un long contretemps », note Jules lors de la parution
retardée de *Charles Demailly* ([68]). Edmond, lui, écrit « du fond de sa
tristesse » ([69]). Le « sacré foie » de Jules et les « entrailles douloureuses » ([70]) d'Edmond occasionnent des malaises auxquels ils font
souvent allusion ; ces troubles traduisent l'aspect somatique de
leur névropathie. Les Goncourt ont longuement parlé de leurs
souffrances dans *Charles Demailly* : « Cette sensitivité nerveuse,
cette secousse continue des impressions désagréables pour la plupart et choquant les délicatesses intimes de Charles plus souvent
qu'elles ne la caressaient, avaient fait de Charles un mélancolique » ([71]). Cette lutte, ce heurt continuel de la sensibilité contre
les obstacles, les ennuis, les chagrins de la vie avaient contribué à
irriter leur tempérament neurasthénique. L'influence de leur temps,
leurs travaux intellectuels augmentaient cette fièvre mentale,
surexcitaient leurs nerfs, et cela d'autant plus qu'ils s'efforçaient

[64] L. XXXII.
[65] L. XXV.
[66] L. XXI.
[67] L. XXXIV.
[68] L. XXXIII.
[69] L. XLI.
[70] Voir L. XXX et L. XXXV.
[71] *Charles Demailly*, Charpentier, 1860, p. 73.

d'affiner encore leurs sens endoloris. Quand on lit le *Journal*, on est frappé par l'impression de tristesse qui s'en dégage. Ils nous donnent eux-mêmes l'explication de cette mélancolie : « Au fond, de quoi nous plaindre ? Point de chagrin ! De quoi vivre ! Des malaises qui ne compromettent pas encore la vie ! Une espèce de réputation littéraire. Pourquoi être désolés ? Ah ! Pourquoi ? Parce que nous avons des sens trop fins pour être heureux, et des aptitudes merveilleuses pour nous empoisonner le bonheur, sitôt qu'il y en a un semblant en nous » ([72]).

Cet ennui d'être n'altère cependant pas le contentement qu'ils ont parfois d'eux-mêmes. La supériorité essentielle qu'ils s'accordent réside justement dans leur sensibilité d'aristocrates. Deux de nos lettres évoquent deux affaires où ils montrent combien ils tiennent passionnément à leur patronyme : le *Vapereau* les ayant cités de manière erronée, ils exigèrent une rectification dans quatre journaux, sous constat d'huissier ([73]) ; ils eurent aussi maille à partir avec un dénommé Jacobé qui voulait prendre le nom de Goncourt. Ce côté mesquin est plaisant lorsque nous savons comment ils se moquaient du goût d'Augusta pour les particules([74]). Leur instinct aristocratique nous montre ainsi que leur dédain du vulgaire n'émane pas seulement de leur culte de l'art, seul refuge pour les âmes délicates, mais aussi d'un certain snobisme. Cet aspect somme toute petit-bourgeois, le ton souvent geignard de leurs lettres, l'espèce de « confort intellectuel », aurait dit Marcel Aymé, dans lequel ils se confinaient illustrent une fois de plus combien la sincérité d'une correspondance permet de remettre les choses à leur juste place.

S'ils se réfugient dans l'étude du xviiie siècle ou dans la création artistique, les Goncourt ne demeurent pas des intellectuels repliés sur eux-mêmes et savent observer le monde qui les entoure. On peut dire que c'est le goût pour le document sur les mœurs du xviiie siècle qui les a amenés à l'étude de leur propre temps. Ils reportent leur curiosité, leurs instincts de collectionneurs sur la vie moderne. Leur goût de l'observation y trouve un champ beaucoup plus vaste et séduisant. Ils n'hésitent pas à émettre leur avis sur les événements qui jalonnent leur existence. Leurs idées politiques se définissent par la haine de la démocratie et de Napoléon III. La lettre d'Edmond écrite après les journées de 48 ([75]) serait à citer en entier ; elle nous prouve d'autre part qu'il n'était pas non plus

([72]) *J.*, t. VI, p. 194.
([73]) Voir L. XXXII, n. 2.
([74]) Voir L. XXXIV, n. 4.
([75]) L. V.

favorable à la répression : « Aujourd'hui, sauf quelques assassinats, c'est complètement terminé (...) et la bourgeoisie s'endormira de nouveau sur le danger. Car pour moi ce n'est là qu'une victoire, victoire chèrement achetée, et qui ne sera que l'ouverture de la campagne que les idées socialistes et communistes nous préparent, et nous sommes je le crains appelés à avoir le dessous dans un laps de temps qui pourrait bien ne pas excéder un quart de siècle (...) j'ai une peur affreuse des idées et je ne crois pas en la puissance et du canon et de la mitraillade pour les comprimer au contraire elles ne se développent jamais plus longuement que baignées de leur propre sang. » Le 25 février 1871, Edmond écrit que les mobiles de l'Aube saccagent tout : « Tu te doutes de ce que sont nos ennemis, mais tu ne te doutes pas de ce que sont nos sauveurs et protecteurs... » [76]. Sur Louis-Napoléon, il émet ce jugement : « Tu sais qu'en France le ridicule tue ; eh bien, le malheureux prince est en train de se suicider » [77]. Pour les Goncourt, les républiques modernes sont le triomphe de l'esprit bourgeois, de l'esprit médiocre sur l'esprit supérieur. Elles réalisent l'oppression d'une élite par la masse et l'extinction progressive des velléités et des initiatives artistiques, littéraires, philosophiques, la destruction lente et systématique de toutes les jouissances esthétiques et raffinées.

Ces commentaires politiques constituent pour le lecteur des témoignages intéressants car ils relatent des faits historiques importants comme par exemple la révolution de 1848, les problèmes parlementaires de l'Assemblée nationale [78], le coup d'Etat de Louis-Napoléon Bonaparte [79], la guerre d'Orient [80]. Ils font revivre également leur époque avec des événements de moindre importance comme l'exposition universelle de 1855 [81] ou l'assassinat de M. Poinsot qui eut un grand retentissement à l'époque.

En dévoilant leur personnalité au fil de leurs lettres, nous révélant notamment l'énorme travail qu'ils fournissent, Edmond et Jules livrent aussi une intéressante peinture de leur temps. Ils ont écrit dans leur *Journal* que « les historiens sont des raconteurs du passé ; les romanciers sont des raconteurs du présent » [82]. Cette correspondance nous les montre épistoliers raconteurs d'eux-mêmes et historiens raconteurs du présent, un peu comme dans leur *Journal* dont elle devient une précieuse annexe.

[76] L. XLII.
[77] L. VIII.
[78] Voir L. IX.
[79] Voir L. XVI et L. XVII.
[80] Voir L. XXII.
[81] Voir L. XXII.
[82] *J.*, t. VII, p. 15.

Il nous reste un mot à dire sur l'expression et la présentation de ces lettres.

La diversité des sujets se retrouvera dans la variété du style. Les Goncourt s'adressent à leurs cousins avec une certaine familiarité, d'une manière souvent relâchée car ils disposent de bien peu de temps pour écrire [83]. Cela explique leur syntaxe fluctuante, fautes d'orthographe et de ponctuation, abréviations du type « St Beuve » ou « St Madeleine ». Corrélativement à ce langage parlé qu'on utilise généralement avec ses proches, il se servent d'un langage imagé et attrayant.

L'abondance des tirets, des points d'exclamation, notamment chez Jules, des points de suspension qui laissent percer l'ironie ou l'incertitude, des alinéas associant le mouvement à l'idée suggèrent un grand besoin de mise en relief.

D'autres passages comme le récit de leur voyage sont écrits d'une manière plus élaborée. Nous avons déjà remarqué cet impressionnisme littéraire, ce goût du petit détail qui ressuscite un ensemble et ce vocabulaire original. On a relevé des emprunts à divers parlers spéciaux comme l'algérien ou l'argot savoyard, des locutions latines [84], des néologismes [85] qui montrent une grande richesse lexicale. On peut lire à ce sujet le livre de Max Fuchs sur le *Lexique du Journal des Goncourt* où il démontre qu'ils ont contribué à la transformation de la langue pendant les dernières années du XIXᵉ siècle. Edmond s'efforcera même parfois à une élégance épistolaire toute parisienne.

La présentation matérielle des lettres est également très variée et révélatrice.

Le papier utilisé, avec ses lettres à en-tête de la Caisse du Trésor, ou ses feuilles bordées de noir nous rappellent l'époque où Edmond travaillait au ministère des Finances, ou la mort de leur mère [86].

Mme Lutun, graphologue, a d'autre part bien voulu examiner les écritures des deux frères présentées de manière anonyme. Voici le résultat :

A (Edmond) : Rythme souple, écriture liée, conventionnelle, lyrique ; semble protecteur mais en réalité est intéressé. Esprit

---

[83] Ils s'accusent fréquemment de ne pas écrire... d'être « d'abominables parents » (L. XXV).
[84] Par exemple : « ab uno disce omnes » (L. VII).
[85] Par exemple : « humerie du piot de l'endroit » (L. X).
[86] 4 lettres d'Edmond (L. II, III, IV, V) portent l'en-tête « Ministère des Finances. Caisse centrale du Trésor public ». Il a aussi écrit 7 lettres sur papier de deuil (L. VI, VII, X, XII, après la mort de sa mère ; L. XLI, XLII, XLIII, après la mort de Jules).
Trois lettres de Jules sont rédigées sur papier de deuil (L. XI, après la mort de sa mère ; L. XXVII, L. XXVIII, après la mort de l'oncle Pierre-Antoine-Victor).

plus pratique, matérialiste et rationnel que B (Jules) ; dynamique, suite dans les idées ; courage physique ; esprit d'entreprise et de réalisation qui va droit à son but. Ne dit pas ce qu'il pense, met des formes. Admiration pour son nom et sa personne ; charnel.

B (Jules) : Richesse de l'intellect, pensée pétillante ; esprit créateur et intuitif plus fin que A ; sensibilité plus raffinée ; actif et nerveux ; effort obstiné dans ses désirs, n'aime pas également la résistance. Se propulse vers son but avec enthousiasme ; ambition, mais peut-être pas toujours réalisée. Contradiction entre son allant et de brusques dépressions ; lucidité subite et peur de l'échec qu'il comble par sa marche en avant.

Conclusion : B (Jules) : les idées ; A (Edmond) : les réalisations.

Dans *Les Frères Zemganno*, Edmond nous a laissé un portrait de chacun d'eux qui nous éclairera mieux que tout autre et une fois pour toutes sur les divergences de leur caractère. « Tous deux, ouverts à ce langage magnétique des choses de la nature qui, pendant la nuit et le jour, parlent muettement aux organisations raffinées, aux intelligences d'élection, étaient cependant tout différents.

« Chez l'aîné, les dispositions réflectives et les tendances songeuses de son être surexcité par une singulière activité cérébrale appartenaient tout entières dans sa profession de la force et de l'adresse physiques, à l'invention abstraite de conceptions gymnastiques presque toujours irréalisables, à la création de rêves clownesques impossibles à mettre en pratique, à l'enfantement d'espèces de miracles demandés aux muscles et aux nerfs d'un corps. Du reste, même dans la pratique matérielle de ce qu'il exécutait, Gianni donnait une large part à la réflexion et à l'action de la cervelle, et son axiome favori était : que pour poncer un exercice, il fallait un quart d'heure de travail et trois quarts d'heure de méditation.

« Le plus jeune, resté avec bonheur un ignorant et dont toute la première instruction n'avait été guère faite que par la causerie bavarde et à bâtons rompus du père pendant la montée, au pas, des côtes, et plus paresseux d'esprit que Gianni, et avec un balancement plus grand de la pensée dans le bleu ; en un mot plus bohémien de la lande et de la clairière ; — et par cela plus poète —, vivant dans une sorte de rêvasserie heureuse, souriante, pour ainsi dire sensuelle, et d'où tout à coup jaillissaient des imaginations moqueuses, des fusées d'une gaieté attendrie, des excentricités folles. Et ces qualités faisaient tout naturellement de Nello, l'arrangeur, le trouveur de jolis détails, le pareur, le fioritureur de ce qu'inventait de faisable son frère » [87].

De cette longue citation, il ressort qu'Edmond était plus méditatif, plus intellectuel, plus chimérique peut-être que son frère.

Dans le *Journal*, Jules avait d'ailleurs donné une description de leurs mentalités respectives, qui correspondait à celle des Zemganno et qui, rapprochée d'elle, la complète. « Je n'ai pas les mêmes aspirations que l'autre de nous », dit-il. « Lui, sa pente, s'il n'était ce qu'il est, ce serait vers le ménage, vers le rêve bourgeois d'une communion d'existence avec une femme sentimentale. Lui est un passionné tendre et mélancolique, tandis que moi, je suis un matérialiste mélancolique... Je sens encore en moi, de l'abbé du XVIIIᵉ siècle, avec de petits côtés cruels du XVIᵉ siècle italien, non portés toutefois au sang, à la souffrance des autres, mais à la méchanceté de l'esprit. Chez Edmond, au contraire, il y a presque de la bonasserie. Il est né en Lorraine ; c'est un esprit germain. Edmond se voit parfaitement militaire dans un autre siècle, avec la non-déplaisance des coups et l'amour de la rêverie. Moi je suis un latin de Paris [...] Moi, je me vois plutôt dans des affaires de chapitre, des diplomaties de communautés, avec une grande vanité de jouer des hommes et des femmes pour le spectacle de l'ironie. Est-ce qu'il y aurait chez nous une naturelle prédestination de l'aîné et du cadet, comme elle fut sociale autrefois. Au résumé, chose étrange chez nous, la plus absolue différence de tempéraments, de goûts, de caractère et absolument les mêmes idées, les mêmes sympathies et antipathies pour les gens, la même optique intellectuelle » [88].

Nous n'avons pas à aborder ici le problème de l'apport de chacun des deux frères à la rédaction de leurs ouvrages [89]. Remarquons cependant, pour leurs relations épistolaires, cette note qu'Edmond ajoute à une lettre de Jules : « Tout le temps de notre existence à deux, mon frère a été l'épistolaire de nos correspondances, des lettres signées *Jules*, comme des lettres signées *Edmond et Jules*. Qu'il y ait eu quelquefois conversation, causerie entre nous sur le sens d'une lettre avant de l'écrire, qu'il y ait eu même quelquefois une expression donnée par moi, c'est possible ; — mais la forme, la vivacité et l'esprit des lettres, lui appartiennent entièrement » [90].

Entièrement ? La correspondance que nous présentons mainte-

[87] *Les Frères Zemganno*, Charpentier, 1877, p. 205.
[88] *J.*, t. VII, pp. 114-115.
[89] On pourra consulter à ce sujet les livres de R. RICATTE, P. SABATIER, A. DELZANT et F. FOSCA que nous avons cités dans notre bibliographie.
[90] *Lettres de Jules de Goncourt*, p. 78, à la suite d'une lettre que Jules adressa à Armand de Pontmartin le 1ᵉʳ novembre 1854.

nant prouve que non. Même si Jules signe parfois « les enfants »
ou « tes très dévoués parents » les lettres d'Edmond, dont Alidor
Delzant avait remarqué la grande rareté [91], sont aussi très
intéressantes.

Si Jules signe parfois « les enfants » ou « tes très dévoués
parents » [92], Edmond écrira lui aussi pour eux deux [93].

Après ces quelques considérations, nous ne pouvons mieux faire
qu'engager le lecteur à lire les lettres elles-mêmes. Nous pouvons
conclure avec Henry Céard, qui termine ainsi sa présentation des
Lettres de *Jules de Goncourt* : « Et maintenant les voici encore une
fois l'un auprès de l'autre dans ce dernier volume, ces deux frères
dont la mère, à son lit d'agonie, joignait prophétiquement les deux
mains. Jules et Edmond de Goncourt, les voici inséparables dans
leurs lettres comme ils étaient déjà réunis dans leurs romans et
leurs livres d'histoire » [94].

[91] Voir A. DELZANT, *Les Goncourt*, 1889, p. 189.
[92] Voir L. XXXI et L. XXXVI.
[93] Dans la L. XXXII par exemple, il termine ainsi : « mon frère et mois nous
vous embrassons ».
[94] *Op. cit.*, p. 27.

CARACTÉRISTIQUES
DE LA PRÉSENTE ÉDITION

I / PRÉSENTATION DU TEXTE

Nous nous sommes efforcés de reproduire scrupuleusement le texte des Goncourt mais avons toutefois rectifié l'orthographe afin de faciliter la lecture des lettres. Edmond, plus négligent que son frère Jules, écrit par exemple « feronerie », « sussurement » et « débarassé. » Nous avons transcrit ces mots dans leur forme correcte sans le signaler dans nos notes. Nous avons aussi rétabli l'accentuation d'Edmond qui omet la plupart du temps des accents aigus, graves et circonflexes. Dans le même état d'esprit, nous avons rétabli les majuscules et la ponctuation chaque fois que cela était indispensable. Là aussi nous avons rencontré quelques difficultés avec les lettres d'Edmond qui écrit beaucoup moins correctement que Jules. Quelques rares fois, nous avons modifié le texte, en supprimant par exemple des mots qu'Edmond répétait par étourderie. Ces rares modifications, ainsi que les fautes sur les noms propres, sont indiquées en notes.

II / CLASSEMENT DES LETTRES

Le 16 octobre 1892, Edmond rapporte dans son *Journal* : « Ce matin je reçois par la poste un gros paquet de papiers d'affaires, que je rejette loin de moi, sans ouvrir l'enveloppe, en m'écriant : « Est-ce assez embêtant... encore un manuscrit qu'un inconnu m'envoie pour le lire ! » Enfin, j'ouvre le paquet. C'est la correspondance de mon frère et de moi avec mon vieux Labille, que son fils vient de retrouver et qu'il m'envoie de Jean d'Heurs. Il y a une immense lettre de mon frère datée d'Alger. De moi, c'est une lettre après les journées de Juin 1848, assez noire et assez prophétique sur l'avenir, des lettres sur l'arrestation de mon oncle en décembre 1851, et d'autres lettres qu'il sera amusant d'examiner à loisir. »

Edmond a réuni cette correspondance comprenant 43 lettres dont 16 de lui-même et 27 de son frère Jules dans une reliure de format grand in-8° — en papier parchemin blanc frappé aux initiales de leurs deux prénoms entrelacées.

Leur envoi couvre une période de vingt-cinq années, du 12 mai 1846 au 29 mai 1871.

Edmond ayant commis quelques erreurs de classement, nous en avons rétabli l'ordre exact. Nous avons inclus dans la table des matières une table des lettres en indiquant entre parenthèses les indices qui nous permettaient de justifier les dates supposées.

III / ABRÉVIATIONS

Pour nous référer au *Journal* des Goncourt, nous avons utilisé l'abréviation *J.*, suivie des renvois au tome et à la page correspondants (t. et p.).

Nous avons eu recours à l'édition de Robert Ricatte publiée en 22 volumes, Monaco, Fasquelle et Flammarion, 1956.

L. et n. signifient lettre et note.

BIBLIOGRAPHIE

I / ŒUVRES D'EDMOND ET JULES DE GONCOURT

La bibliographie complète (sauf les articles) se trouve dans la *Bibliographie des auteurs modernes de langue française* d'H. TALVART et J. PLACE, Paris, 1941, t. VIII, p. 204-238. On trouvera également des indications précises dans les livres d'A. DELZANT et de R. RICATTE cités plus bas, ainsi que dans la *Bibliographie des Goncourt, étude suivie d'un essai bibliographique*, de M. TOURNEUX, Paris, 1897.

Nous ne mentionnerons ici que les ouvrages ayant un rapport direct avec notre correspondance :

— De Jules de GONCOURT :

Eaux-fortes de Jules Goncourt. Notice et catalogue de Philippe BURTY, Paris, 1876.
Lettres de Jules de Goncourt. Préface d'Henry CÉARD, Paris, Charpentier, 1885. Ce recueil des *Lettres* avait été précédé de *Lettres inédites de J. de Goncourt*, publ. dans la *Revue contemporaine* du 25 janvier 1885 et éditées en tirage à part, Paris, aux bureaux de la *Revue*, 1885.

— D'Edmond et Jules GONCOURT :

Alger, 1849. Notes au crayon. Articles parus dans quatre numéros de *L'Eclair* entre janvier et juin 1852, pp. 45, 66, 103, 210.
Quelques créatures de ce temps, Paris, Fasquelle, 1878.
L'Italie d'hier. Notes de voyage (1855-1856), Paris, Charpentier, Fasquelle, 1894.
Journal, mémoire de la vie littéraire. Texte intégral établi et annoté par Robert RICATTE, Monaco, Fasquelle-Flammarion, 1956, 22 vol.

— Archives et manuscrits :

Bibliothèque nationale : *Correspondance adressée aux Goncourt*. Nouvelles acquisitions françaises, nos 22450 à 22479, 30 vol.
Bibliothèque de l'Arsenal : *Archives de l'Académie Goncourt*.

II / ÉTUDES SUR E. ET J. DE GONCOURT

La bibliographie des études sur les Goncourt est très importante ; on en trouvera la liste complète jusqu'en 1941 dans la *Bibliographie* de H. TALVART et J. PACE, et, jusqu'en 1953, dans le livre de R. RICATTE ; nous n'avons retenu ici que les études que nous avons utilisées.

BILLY (A.), *Les Frères Goncourt. La vie à Paris pendant la seconde moitié du XIXᵉ siècle*, Paris, Flammarion, 1954.

BOUILLON (J.-P.), *E. et J. de Goncourt. L'art du XVIIIᵉ siècle*, Paris, Hermann, 1967.

BOURGET (P.), *Essais de psychologie contemporaine*, Paris, Plon (1883-1885) ; éd. de 1901, t. II, pp. 135-185.

DELZANT (A.), *Les Goncourt*, Paris, Charpentier, 1889.

DULMET (F.), J. de Goncourt le misogyne, in *Revue de Paris*, février 1970, pp. 69-79.

FOSCA (F.), *Edmond et Jules de Goncourt*, Paris, A. Michel, 1941.

FUCHS (M.), *Lexique du Journal des Goncourt*, Paris, Cornely, 1912.

FUCHS (M.), Les Goncourt en Italie d'après leurs notes de voyage inédites, in *La Grande Revue*, 1920, t. III, pp. 84-89.

RICATTE (R.), *La création romanesque chez les Goncourt*, Paris, A. Colin, 1953.

RICHARD (J.-P.), Notes sur les Goncourt, in *Littérature et sensation*, Paris, Ed. du Seuil, 1954.

SABATIER (P.), *L'esthétique des Goncourt*, Paris, Hachette, 1920.

SAUVAGE (M.), *Jules et Edmond de Goncourt précurseurs*, Paris, Mercure de France, 1970.

ZEVAES (A.), Acquittés mais blâmés, in *Les procès littéraires au XIXᵉ siècle* (pp. 55-56), Paris, Perrin, 1924.

III / AUTRES OUVRAGES CONSULTÉS

ALLEM (M.), *La vie quotidienne sous le Second Empire*, Paris, Hachette, 1948.

Atlas historique, Paris, Stock, 1964.

BALDICK (R.), *Les dîners Magny*, Paris, Denoël, 1972.

BELLET (R.), *Presse et journalisme sous le second Empire*, Paris, 1967.

CARTERET (L.), *Le trésor du bibliophile romantique et moderne*, Paris, 1927.

CASTILLON DU PERRON (M.), *La princesse Mathilde*, Paris, Amiot-Dumont, 1953.

Le Conseiller du Peuple (journal de Lamartine), avril 1849 à février 1852.

COGNY (P.), *Le naturalisme*, Paris, PUF, 1968.

DÉSERT (G.), *La France de Napoléon III*, Paris, CAL, 1970.

DEZOBRY et BACHELET, *Dictionnaire général de biographie et d'histoire, de géographie ancienne et moderne*, Paris, Delagrave, 1894.

GAY (J.), *Bibliographie des ouvrages relatifs à l'amour*, Paris, 1894.

Guides bleus : Lorraine ; Franche-Comté ; Dauphiné-Savoie, Paris, Hachette.

Journal des débats, juin 1854, années 1855 et 1857.

ROBERT, BOURLOTTON et COUGNY, *Dictionnaire des parlementaires français de 1789 à 1889*, Paris, 1891.

ROUSSELOT (A.), *L'ancienne Communauté Sainte-Barbe et le collège municipal Rollin*, Paris, 1900.

SEIGNOBOS (Ch.), La Révolution de 1848. Le Second Empire, *in* LAVISSE, *Histoire de la France contemporaine*, Paris, 1921.

Le Siècle, août 1857, décembre 1860.

SUFFEL (J.), *1848. La Révolution racontée par ceux qui l'ont vue*, Paris, 1948.

VICAIRE (G.), *Manuel de l'amateur de livres du XIXᵉ siècle*, Paris, 1907.

Edmond et Jules de Goncourt
Lettres de jeunesse inédites

Lettres de nos deux jeunesses adressées à la cousine Augusta, la fille de mon oncle de Neufchâteau, et à son mari ; lettres retrouvées par leur fils *Marin*, seulement en ces dernières années.

Edmond de Goncourt

(Voir planche hors texte 4, face p. 65)

I

Mon Cher Cousin,

Tu me trouves sans doute bien coupable d'avoir paressé si long-temps sans t'écrire, c'est que j'espérais chaque semaine t'annoncer une nouvelle, que je te saurais être agréable et chaque semaine n'apportait qu'une désillusion et me jetait dans le découragement. Enfin au moment où j'avais lieu de désespérer de tout, et où je pensais le ministère des finances à jamais fermé pour moi, il s'est ouvert grâce à Mr Costé (¹) qui a montré dans toute cette affaire un zèle dont quels que soient le but et la récompense, je suis bien touché. Les gros bonnets tels que les Passy (²), les Gourgaud (³)

(¹) Costé, chef de bureau, fit entrer Edmond à la Caisse du Trésor en novembre 1847.

(²) Louis Passy (1830-1913), historien et économiste, fut l'ami d'enfance de Jules. Edmond comptait sur l'oncle de celui-ci, Hippolyte Passy (1793-1880), ami de Thiers, ministre des Finances (1839-1840 et 1848-1849), auteur d'ouvrages d'économie politique.

(³) Le baron Gaspard Gourgaud (1783-1852), général qui écrivit à Sainte-Hélène les *Mémoires* dictés par l'Empereur. Léonidas Labille possédait chez lui un cadre cher à son cœur « donné par le Général Gourgaud, contenant de la terre et du saule de Sainte-Hélène » (*J.*, t. III, p. 55).

ont fait très peu de chose, le Gourgaud surtout, je le soupçonne
tout à fait de n'avoir rien fait, je me rappelle toujours une douzaine
de visites dans lesquelles il me faisait dire quotidiennement par un
grand diable de laquais : « Mr le général est occupé, il regrette
infiniment de ne pouvoir vous recevoir », et ces regrets infinis ont
duré pendant une semaine et demie. Toutefois j'ai obéi aux observations contenues dans une lettre fort sensée de mon oncle ([4]) et
j'ai été le remercier de ses nombreuses démarches, de sa puissante
intervention, de ce qu'il a fait et même de ce qu'il n'a pas fait.
Enfin me voilà enfin casé, je t'écris sur une feuille de papier appartenant à la caisse centrale dont je fais partie ([5]), le travail n'est pas
celui que j'avais rêvé au collège devoir occuper ma belle jeunesse ;
mais que d'illusions tombent jour par jour, moi qui déteste les
chiffres me voilà en pleine comptabilité, je vis de bordereaux,
d'états de situation, de traites, mon pupitre est hérissé de chiffres,
des chiffres, toujours des chiffres et encore des chiffres, la seule
distraction qui me soit commandée et qui me rappelle le dessin
c'est d'unir ces chiffres par l'accolade ; je vais tâcher de me créer
une spécialité dans cette partie, c'est celle que j'entends le mieux et
je m'efforce de mériter le glorieux surnom de l'Employé-accolade.
Eh bien quoique le travail ne soit pas très récréatif, comme tu le
vois je prends mon parti en brave et je me soumets, je sors avec
plaisir de la vie inoccupée que je menais et qui m'aurait conduit
je crois tout droit au spleen ; depuis deux jours que je suis ici, les
plaisirs que je prends me semblent avoir plus de saveur que par le
passé. Tu as sans doute appris par mon oncle que mon frère s'était
cassé une seconde fois le bras gauche, heureusement il a été parfaitement remis et il ne s'en ressent plus, toutefois il faut tâcher de
mettre un frein à une pétulance qui se traduit par des fractures si
fréquentes, c'est là le difficile car rempli d'excellentes intentions
mon frère est le gamin le plus remuant que je connaisse ([6]). Et toi
que fais-tu, que deviens-tu, les plantations, les aggrandts, les
arrangts de ferme et... occupations de tous les jours, de tous les
moments, avec ce genre de vie santé et distraction, mais comment
va ta femme, que dit ton espiègle de petite fille et toi penses-tu venir

([4]) L'oncle Pierre-Antoine-Victor Huot de Goncourt (1783-1857), père
d'Augusta, capitaine d'artillerie sous l'Empire, entrepositaire de tabac à Neufchâteau, député à la Constituante et à la Législative (voir L. III, n. 8).

([5]) Cette lettre est en fait rédigée sur une simple feuille blanche, alors que les
lettres II, III, IV et V le sont sur papier portant l'en-tête du ministère des
Finances.

([6]) Bien que d'une santé délicate, Jules est dépeint par Edmond comme ayant
été un « spirituel petit diable » (*Lettres de Jules de Goncourt*, p. 5).

à Paris ou du moins le traverser, tout cela dis-moi-le longuement, ne crains pas de bavarder, tu sais que j'aime tes lettres longues.

Adieu mon Cher Cousin ([7]).

Je t'embrasse tendrement toi et les tiens mon frère et ma mère se joignent à moi pour en faire autant.

P.S. — Lucron s'est marié cet hiver, il m'a invité à sa noce, ce jour-là j'étais souffrant et je n'ai pu m'y rendre ; je voulais lui faire une visite mais je n'avais pas plus l'adresse de son logis de garçon que celle du logis de marié, j'ai été donc dans l'impossibilité d'être poli avec lui et comme lui est une des personnes avec lesquelles je tiens beaucoup à l'être, je te prierai de m'envoyer son adresse.

Edmond vous a raconté, mon cher Léonidas, les événements tristes et heureux de notre vie, il ne me reste plus qu'à vous demander bien instamment, de m'écrire aussitôt l'accouchement d'Augusta, car malgré mon silence, j'en suis très préoccupée et je serai bien contente d'apprendre son heureuse délivrance. Recevez en attendant mon cher Léonidas ainsi qu'Augusta, l'assurance de ma sincère amitié et embrassez bien tendrement pour moi votre chère petite Mimie ([8]). Donnez-moi aussi des nouvelles de votre famille, au bon souvenir de laquelle je vous prie de me rappeler.

Votre affectionnée Tante

le 12 Mai 1846 Cécile HG

([7]) Lettre écrite par Edmond.
([8]) Mimie, diminutif de Noémie, la fille d'Augusta et de Léonidas.

Ministère   II
des Finances
Caisse centrale
du
Trésor public

Mon Cher Cousin ([1])

J'espérais ta venue à Paris cet hiver, ou du moins finiente hieme ([2]) mais j'ai été trompé dans mon attente et comme je ne reçois aucun signe de vie de ta part je me demande si à propos de mon silence tu n'aurais pas retrouvé enfouis bien au fond de ton cœur quelques vieux restes de rancune. Tu aurais tort, vraiment

([1]) L'allusion faite à la naissance de Marin (15 mai 1846) permet de situer cette lettre vers la fin du mois de mai 1846.
([2]) A la fin de l'hiver.

(abstraction faite de la banalité de la phrase et sans la moindre
coloration mensongère) et puis te dire que j'ai souvent pensé à toi
plus souvent que tu ne le penses, aujourd'hui que la vie de bureau
fait de ma personne un serf du gouvernement pendant les sept
belles heures de la journée, aujourd'hui que j'ai pour tout horizon
un plafond enfumé et des papiers noircis, pour senteurs l'âcre
odeur de la cire à cacheter et les gaz étrangers ; j'aime l'air, les bois,
les champs, je soupire après l'odeur du foin et je me suis surpris
bien souvent les yeux fermés sur une colossale addition courant les
bois avec toi ou bien assis au coin de l'âtre de Bar-sur-Seine devant
fagot flambant, brûlant force cigarettes devisant avec toi de toute
chose et de quibusdam aliis encore (³) ; si tu me dis que c'est
l'hospitalité et non l'hôte que je vois en rêve, je te répondrai que
tu t'efforces peut-être de le croire et cependant il me semble que tu
dois penser que l'homme dans lequel on a rencontré le plus de
sympathie au moment où les idées s'éveillent, que l'homme qui
vous a traité comme un fils et ce qui bien plus est comme un camarade, cet homme on ne peut se rappeler que par un souvenir agréable
et reconnaissant et que tout paresseux, tout oublieux que peut être
le cousin Edmond, il serait encore heureux de serrer la main de cet
homme. Aussi je te déclare que le froid qui a tout l'air d'exister
entre nous me pèse horriblement et qu'il faudra qu'il tombe devant
l'amende honorable, que je m'impose mea culpa, mea culpa meâ
maximâ culpâ, oui mon très cher cousin je suis oublieux, paresseux
à l'impossible, retardataire à l'Infini, je suis ainsi que veux-tu et
j'aime en grand cependant les gens, la preuve que je vous en don-
nerai si elle ne vous convainc pas (⁴) aura peut-être le mérite de vous
faire rire, la voici : c'est que je suis égoïste, que j'ai le malheur
d'aimer ma personne, eh bien ! je puis te jurer sur le fameux bras
de St Leu (⁵) que je suis plus encore paresseux, plus homme du
lendemain pour mes affaires que pour celles de qui que ce soit ; ma
mère te donnera un certificat en règle à l'appui de cette allégation
je suis comme cela, ni toi ni le diable ne me changeront ; je dois
cependant ajouter pour ma justification que si le service que tu
pouvais me demander sortait des petites choses, des choses faciles

---

(³) « De omni re scibili, et quibusdam aliis » : « De omni re scibili » était la
devise de Pic de LA MIRANDOLE qui se faisait fort de tenir tête à tout venant sur
tout ce que l'homme peut savoir ; « et quibusdam aliis » est l'addition d'un plaisant,
peut-être Voltaire, qui critique d'une manière piquante les prétentions du jeune
savant.

(⁴) Edmond a oublié d'écrire « ne ».

(⁵) Le dicton « paresseux comme le bras de Saint-Leu » semble reposer en fait
sur l'assonance paresseux-Leu.

Pl. 1

Initiales entrelacées des deux frères
frappées sur une reliure en velin

Pl. 2

a / Edmond
par Jules,
en 1860

b / Jules par Edmond, le 29 avril 1857

et accessibles à tout le monde, j'ai la confiance que tu ne serais pas remis au lendemain, tu me diras avec justice que l'amitié se traduit par les petites comme par les grandes choses, je baisse la tête devant la terrible logique et te demande comme pénitence quelques commissions pour lesquelles, dans lesquelles je veux déployer tout ce qui me manque de manière à gagner (je ne m'engage qu'auprès de toi seul) une réputation d'exactitude. Pour que tu ne me voies pas trop en laid j'ajouterai que j'ai fait des recherches chez les marchands de gravures dépareillées pour compléter ta série de gravures et que je n'ai rien trouvé, à ta place je me consolerais facilement, les gravures sont détestables et je viens d'acheter un exemplaire de ton édition sans les gravures (^{6}). J'ai appris par Chappier (^{7}) lors de son passage à Paris que vous vous portiez tous bien, mari, femme, enfants au pluriel à la grande satisfaction d'Augusta (^{8}) qui les voulait et les veut encore peut-être très nombreux ; ç'a été pour moi et ma mère un bien vif plaisir d'apprendre qu'elle était tout à fait sortie de cet état de souffrance et de langueur dans laquelle elle se plongeait désespérément, tout est donc pour le mieux dans ce moment chez toi la santé, un héritier doublé d'une héritière que l'on dit fort espiègles, tout cela appuyé sur de bons lopins de terre, vraiment si l'on voulait faire avancer les souhaits retardataires du jour de l'an ils ne pourraient trouver place, ce dont je te félicite bien sincèrement ; puisque terre vient au bout de ma plume, je te dirai que ma mère a reçu de M. Parison une lettre relative au bornage des Gouttes (^{9}) et qu'il serait heureux que cela pût se faire avant que la terre s'habillât, tu y aviseras.

J'attends ta réponse, ton silence serait l'arrêt d'un juge inexorable.

Je t'embrasse toi et tous les tiens

Edmond

Ma mère qui est et a été toute souffrante se joint à moi ainsi que mon frère dans l'accolade générale.

(^{6}) Républicain libéral, amateur de gaudriole, le cousin Léonidas vénérait Béranger et collectionnait les éditions illustrées, avec suite si possible, de ses œuvres.

(^{7}) Chappier, ou par erreur Chapied, serviteur de leur oncle Pierre-Antoine-Victor de Goncourt à Neufchâteau. « C'était le jardinier, le garde, l'organisateur de la tendue, le domestique mâle à tout faire de la maison pour un gage de 300 francs » (*J.*, t. XVI, p. 134).

(^{8}) Leur second enfant, Eugène, naquit le 15 mai 1846.

(^{9}) Parison, homme d'affaires de Mme de Goncourt en Haute-Marne, s'occupait, non sans une certaine négligence, de la ferme des Gouttes-Basses. Paul Collardez et Léonidas Labille le remplacèrent après la mort de Mme de Goncourt.

Je ne veux point laisser partir la lettre d'Edmond, mon cher ami, sans vous dire que malgré mon silence, je ne vous oublie point ; je vous aurais déjà écrit, il y a même longtemps, si je n'avais été extrêmement souffrante tout l'hiver, je comptais sur le soleil pour me remettre, il a paru et je n'en suis guère mieux ; enfin espérons qu'avec la patience je finirai par me remettre mais c'est assez parler de moi, parlons de vous mon cher ami, j'espère que vous allez bien, ainsi que vos chers enfants : combien Augusta doit être heureuse d'avoir un petit garçon avec sa gentille Mimie, je partage bien vivement la satisfaction que vous devez éprouver tous les deux d'être aussi bien partagés. Donnez-nous de vos nouvelles de tous mon cher Léonidas et recevez ici ainsi que cette bonne Augusta l'assurance de ma sincère affection sans oublier vos chers enfants que j'embrasse bien tendrement et votre famille au bon souvenir de laquelle je vous prie de me rappeler. Votre affectionnée Tante Huot de Goncourt.

III

Ministère
des Finances
Caisse centrale
du
Trésor public

MON CHER COUSIN (¹)

J'ai pris les renseignements que tu désirais et je puis t'annoncer que je crois qu'il n'existe pas à Paris de pension (²) où les soins soient plus intelligents, plus maternels, et où à l'inverse des marchands de soupes trop nombreux ici, le maître de pension Mʳ de Fresne (³) mette de la conscience à remplir le mandat dont il est chargé. La pension suit les cours du collège Bourbon et les élèves de la pension qui s'y rendent se distinguent généralement par leurs succès, l'instruction intérieure est dirigée par des jeunes gens de

(¹) L'allusion à la soirée de Marrast donnée au lendemain des élections législatives permet de situer cette lettre en mai 1848.

(²) Edmond a en fait écrit : « il n'existe pas à Paris de pension à Paris ».

(³) Les Goncourt font une brève allusion à ce M. de Fresne dans leur journal (*J.*, t. III, p. 70). Sans doute de Fresne et non Dufresne comme l'écrit Edmond un peu plus bas. Edmond recommande peut-être cette pension pour le fils d'un ami de Léonidas.

talent qui apportent une certaine familiarité dans leurs rapports avec leurs jeunes disciples. Une femme dont l'éloge est dans la bouche de tous les jeunes pensionnaires est l'intermédiaire entre Mr Dufresne et les élèves, elle les soigne, veille à leur toilette, les éduque, ce sont presque les soins d'une mère. Quant à la nourriture elle est peut-être trop riche, ce serait le seul reproche que j'adresserais à cette institution toute patriarcale où les études ne souffrent cependant pas de la douceur des rapports, établis entre les maîtres et les élèves, et franchement je crois que c'est là l'institution qu'une mère doit choisir pour un enfant qui ne l'a pas encore quittée et qui n'a pas été encore exposé au frottement d'un collège, ou d'une pension dans les conditions ordinaires. La pension est chère, elle est de 2.400 non compris les maîtres d'agréments et même les maîtres de langues étrangères, à la vérité il y a un maître d'anglais à raison de cinq francs par mois.

Ma mère n'a pas éprouvé une amélioration bien sensible dans sa santé, cependant elle a eu la force de se rendre à la campagne à quelques heures de Paris et j'espère que l'air de la campagne, une vie douce et tranquille les bons soins de ceux qui l'entourent lui rendront une santé qu'elle a depuis trop longtemps perdue (⁴).

Je te plains d'être boiteux, c'est un vilain mal d'autant plus qu'à chaque instant il y a tentation de l'aggraver et que la juste mesure de ce qu'on peut, de ce qu'on ne peut pas est difficile à tracer. Toutefois je compte bien que ta femme est là pour te surveiller et ne te permettre que le possible. De la patience c'est un vilain remède, mais c'est le meilleur que je puisse t'indiquer. Je ne veux pas te promettre d'aller te voir, parce que je craindrais trop de manquer de parole, mais ce que tu peux être sûr c'est que je vais demander un congé avec acharnement, et que si je l'obtiens j'irai te trouver immédiatement, fût-ce en novembre, et que je t'infligerai ma personne pour toute sa durée, quoiqu'il n'y ait rien dans l'escarcelle. Le travail est plus rude que jamais, les bons du Trésor le nouvel Emprunt, nous noircissons du papier entre les mains (⁵) — je te rappelle Louis Philippe (⁶) de Fresnoy, ne l'oublie

---

(⁴) En très mauvaise santé, Mme de Goncourt se reposait alors fort souvent chez ses cousins de Villedeuil, au château de Magny-Saint-Loup près de Crécy en Brie.

(⁵) Garnier-Pagès, ministre des Finances, prit plusieurs mesures pour remédier à la crise monétaire à laquelle le gouvernement provisoire devait faire face. Il émit ainsi, en mars 1848, un emprunt national en rente 5 % au pair qui devait sauver la France de la banqueroute.

(⁶) Louis Philippe était le locataire d'une de leurs fermes de la Haute-Marne à Fresnoy.

pas lors de ton voyage, sa réponse nous est précieuse dans le plus bref délai car nous sommes à fin de bail.

De Paris que te dirais-je, c'est que le plus grand calme y règne, que les agitations de la place publique des derniers mois ont disparu, que la foule est insouciante, qu'elle a encore l'air occupée de ses plaisirs, qu'il semble y avoir trêve aux préoccupations politiques et cependant je ne suis pas rassuré ([7]).

Je t'embrasse toi et tous les tiens

Edmond

Une lettre que je reçois de mon frère m'annonce que ma mère éprouve une certaine amélioration de son état.

Le représentant ([8]) a eu l'aimable intention de m'emmener à la soirée d'ouverture de Marrast ([9]) il se plaint d'être tué, éreinté, assommé par les commissions, les bureaux, les séances, le fait est qu'il ne s'est jamais mieux porté.

([7]) L'élection de l'Assemblée constituante le 23 avril 1848 avait engendré une période de troubles et d'émeutes ouvrières.

([8]) L'oncle Pierre-Antoine-Victor de Goncourt (voir L. I, n. 4) fut élu représentant des Vosges. Voici un extrait de l'article le concernant dans le *Dictionnaire des parlementaires français* de ROBERT, BOURLOTTON et COUGNY (Paris, 1891) : « Il se montra favorable au gouvernement de Louis-Philippe, accepta sans enthousiasme la république proclamée en 1848, et fut élu, le 23 avril, représentant des Vosges à l'Assemblée constituante, le 10º sur 11, par 40.330 voix (85.950 votants, 106.755 inscrits). Membre du comité des travaux publics, il vota avec la fraction la plus conservatrice du parti républicain : pour le rétablissement du cautionnement, pour les poursuites contre Louis Blanc et Caussidière, pour le rétablissement de la contrainte par corps, contre le droit au travail, pour l'ordre du jour en l'honneur de Cavaignac. Il fit, après l'élection du 10 décembre, une opposition très modérée au président de la République et se prononça : contre la suppression de l'impôt du sel, contre la proposition Rateau, contre l'interdiction des clubs, pour les crédits de l'expédition romaine, contre la mise en accusation du président et de ses ministres. Réélu, le 13 mai 1849, représentant du même département à la Législative, le 3e sur 9, avec 33.777 voix (71.000 votants, 116.982 inscrits), M. Huot suivit les inspirations de Dufaure, et vota généralement avec la majorité, sans se montrer ouvertement hostile à la forme républicaine. Il rentra dans la vie privée lors du coup d'Etat de 1851, et passa ses dernières années à Neufchateau. »

([9]) Armand Marrast (1802-1852), journaliste et pamphlétaire, devint maire de Paris après la Révolution de 1848, membre du gouvernement provisoire puis président de l'Assemblée constituante. Le 14 mai 1848, il réunit avec ses amis du *National* tous les républicains modérés dans une maison de la rue des Pyramides afin de donner ses directives aux parlementaires partageant ses idées.

IV

Ministère
des Finances
Caisse centrale
du
Trésor public

Paris, le mercredi. 1848 (¹)

Mon Cher ami, si je ne t'ai pas écrit plus tôt c'est que je voulais avoir le mot de l'énigme de ton insuccès par mon oncle (²), malheureusement ses explications ne m'ont pas sorti de mon abasourdissement et je me demande encore comment tu as pu échouer. Ne crois pas que le succès de ta candidature était assuré à mes yeux par les biens modestes espérances que tu avais manifestées en ma présence, il l'était indépendamment de tes paroles, par ta position seule une double condamnation politique devait t'assurer tous les suffrages des républicains de la veille, ta modération bien connue en même temps que ta grande fortune foncière devait entraîner tous les républicains du lendemain (³). Telle était ma conviction et si j'eusse été en position d'obtenir des suffrages, ton individu eût été un de ceux dans lequel j'aurais été le plus heureux de me trouver que veux-tu il faut se consoler la fortune a des heurs et malheurs et peut-être l'as-tu laissé passer devant toi sans la saisir aux cheveux. Toutefois j'espère bien que cet échec non mérité ne t'a pas découragé à tout jamais et que dans une nouvelle Chambre tu chercheras à trouver et que tu trouveras ta place.

Le représentant de la famille (⁴) a rajeuni au contact de la république, m'a-t-on dit, car je n'y étais pas quand il est venu voir ma mère et j'ai couru hier toute la journée à sa recherche inutilement, les séances finissant à une heure sont des choses ordi-

(¹) Les premières séances parlementaires de l'oncle Pierre-Antoine-Victor permettent de situer cette lettre vers la fin du mois de mai 1848.

(²) L'oncle Pierre-Antoine-Victor de Goncourt (voir L. I, n. 4).

(³) Léonidas Labille s'était présenté aux élections visant à former l'Assemblée constituante, le 23 avril 1848. Mais, républicain fanatique hostile aux paysans, il se heurta au conservatisme de la campagne lorraine. Dans son chapitre « Les opinions politiques en province en 1848 », Charles SEIGNOBOS a bien décrit l'électorat de cette région où « la très grande majorité de la population ne demande que l'ordre » (dans *La Révolution de 1848*, p. 162). Léonidas essuya donc un échec et ne se représenta plus jamais à des élections.

(⁴) Voir n. 2 et L. III, n. 8.

naires, il a monté à la tribune sans émotion, voilà le bulletin de sa première semaine parlementaire.

Ma mère qui a reçu la lettre de (j'allais dire la petite mimi) mademoiselle ta fille m'a chargé de te dire de l'embrasser sur les deux joues de sa part, elle a pris part comme moi à notre déception commune, me charge de t'exprimer tous ses regrets en même temps que ses chauds remerciements pour les visites que toi et ta femme lui avaient faites si longues dans votre court séjour.

Salut fraternité et bonne amitié

Edmond

La santé de ma mère est toujours la même si elle n'est pas plus mauvaise elle n'est pas meilleure, j'ai foi dans le beau temps. Ma mère charge d'annoncer à Mimi qu'aussitôt qu'elle se trouvera un peu mieux, elle lui répondra, qu'elle veuille donc ne pas se formaliser.

V

Ministère
des Finances
Caisse centrale
du
Trésor public

Mon Cher Léonidas ([1]) je m'attendais tous ces jours-ci à te voir surgir au milieu de nous, je savais que la garde nationale de Troyes était arrivée et sans l'accident que tu m'annonces et que je ne pouvais prévoir tu devais être au milieu des arrivants ([2]). Aujourd'hui sauf quelques assassinats c'est complètement terminé, le garde national redevient l'homme de ses affaires et de ses plaisirs et dans quelques jours avec quelques poignées de plâtre et quelques pavés neufs la ville reprendra son aspect paisible et la bourgeoisie s'endormira de nouveau sur le danger. Car pour moi ce n'est là qu'une victoire, victoire chèrement achetée, et qui ne sera que l'ouverture de la campagne que les idées socialistes et communistes

([1]) L'allusion aux journées de juin nous permet de situer cette lettre en juin 1848.

([2]) Au lendemain des journées insurrectionnelles de juin 1848, Cavaignac, ayant dissous les légions des quartiers insurgés de Paris, fit appel à quelques légions provinciales de la garde nationale afin de rétablir l'ordre.

nous préparent, et nous sommes je le crains appelés à avoir le dessous dans un laps de temps qui pourrait bien ne pas excéder un quart de siècle. Oui mon cher ami je t'écris profondément découragé, j'ai une peur affreuse des idées et je ne crois pas en la puissance et du canon et de la mitraillade pour les comprimer, au contraire elles ne se développent jamais plus largement que baignées de leur propre sang, et vaincues et défaites aujourd'hui, ces idées m'apparaissent plus redoutables que jamais. Quand on a parcouru dans le quartier de l'insurrection (³), quand on a vu ces centaines de rues lacérées de balles, et dépavées dans toute leur étendue, on comprend facilement que ce n'est pas là l'émeute mais bien la guerre civile et les insurgés ce sont les trois arrondissements les plus populeux de Paris et toute la population des barrières, en un mot samedi soir les généraux ne répondaient plus de l'insurrection, une balle dans la tête de Cavaignac (⁴) la prise de l'hôtel de ville à cette heure faisaient notre défaite. Nous avons vaincu, mais que de haines amoncelées chez les vaincus, quelle aspiration vers la vengeance, aspiration qu'ils ne se donnent pas la peine de cacher. Et avec la dernière révolution, quelles armes avez-vous, vous n'avez pas même celles de la violence qui tout impuissantes qu'elles sont retardent une explosion : pouvez-vous interdire la liberté de la presse, pouvez-vous empêcher l'association, pouvez-vous interdire le socialisme et le communisme en tant que développement pacifique, non, vous reculeriez en arrière et vous ne pouvez reculer. Oui je vois un immense naufrage, la vieille société a-t-elle fait son temps et devons-nous en voir une nouvelle s'asseoir sur des bases à nous inconnues et redoutées. Noblesse, propriété, génie sont les trois modes par lequel l'homme fait son entrée dans le monde en privilégié, la noblesse a été tuée, est-ce maintenant le tour de la propriété, pour dans un avenir plus éloigné être le tour du génie, et la doctrine de l'égalité des salaires n'est-elle pas une anticipation prématurée : ce sont là de noires réflexions mais que veux-tu, j'espère vingt cinq ans avant de sauter ; qui sait si nous serons en vie dans ce temps... il faut mettre à profit la philosophie de Rabelais et faire comme les femmes, vivre un peu pour le pré-

(³) Edmond a en fait écrit : « dans toute son étendue le quartier de l'insurrection ». Puis il a raturé « toute son étendue », à cause de l'expression « dépavées dans toute leur étendue » qui arrive peu après.

(⁴) Le général Louis-Eugène Cavaignac (1802-1857), chef du gouvernement provisoire de juin à novembre 1848, auteur de la répression vigoureuse et complète qui suivit les journées de juin. Les trois « arrondissements les plus populeux » sont la Bastille, la place d'Italie et le faubourg Saint-Antoine, dernier bastion des insurgés.

sent et (⁵) ne pas tant s'occuper de l'avenir... Je n'ai pas eu la gloire
de brûler une seule cartouche, nous n'avons été envoyés dans le
faubourg St Antoine que dans la nuit du lundi et nous n'avons
couru d'autre danger que de manquer de nous égorger avec de la
ligne qui poussait des vivats en notre honneur (⁶), notre compagnie
a donné le vendredi et a eu onze hommes tués mais c'était à onze
heures et j'étais allé de très bonne heure au ministère et retenu
pour le garder, du reste de ces onze hommes tués il y en a trois ou
quatre qui ont la consolation d'avoir été tués par leurs voisins
maladroitement s'entend nous n'avons pas vu le représentant
nous savons seult qu'il n'a pas couru de danger (⁷), avec le service
de la garde nationale et maintenant le ministère qui nous sert la
besogne de quatre jours passés dans les camps il m'a été impossible
d'aller chez lui, je compte tenter de le voir demain. Je finis ma lettre
en te serrant la main et embrassant ta femme et tes enfants, je te
remercie bien vivement de l'intérêt que tu nous portes et t'exprime
le profond regret que j'éprouve de te voir cloué sur une chaise.

Edmond

Ma mère dont l'état ne s'est pas amélioré me charge avec le
grand Jules de vous remercier du bienveillant intérêt que toi et ta
femme lui avez témoigné lors de votre passage à Paris et embrasse
tes enfants.

Je suis passé hier devant la maison, quoiqu'il y ait les traces
d'une barricade à la porte elle n'a pas souffert et il m'a même semblé
voir (sur) (⁸) le seuil l'individu qui nous a menacé si gracieusement
à coups de fusil.

(⁵) Edmond a en fait écrit « et de ne pas tant... ».

(⁶) Dans ses *Mémoires*, Odilon Barrot rapporte : « Puis vinrent les nouvelles
successives que de nombreux quartiers étaient enlevés à l'insurrection... Chacune
de ces nouvelles était accueillie aux cris de : Vive la République ! Puis, lorsqu'un
de nos collègues nous racontait l'héroïsme de nos bourgeois, hommes de lois,
commerçants, des larmes d'attendrissement nous étaient arrachées. » (Extrait
publié par J. Suffel dans son *1848*, Paris, 1948, p. 488.) Garde national dans
une compagnie qui avait eu une dizaine de tués, Edmond put voir l'insurrection
de juin tout auprès des hommes de première « ligne ».

(⁷) Une lettre de Jules à Louis Passy, datée du 3 juillet 1848 (voir *Lettres de
Jules de Goncourt*, p. 16), nous renseigne sur les activités d'Edmond et de l'oncle
Pierre-Antoine-Victor pendant l'émeute : « Edmond n'a été dans la bagarre que
lundi soir. Il n'a pas eu la gloire de brûler une seule cartouche... J'ai vu hier mon
vieil oncle, le représentant. En voilà un héros ! Vendredi et samedi, il a pointé
des pièces d'artillerie dans la fusillade. »

(⁸) Le sens demanderait « voir sur » mais le terme d'Edmond est illisible.

VI

vendredi 8 (¹)

Mon Cher Leonidas,

Ma pauvre mère après huit jours de souffrances inouïes vient de mourir. Ma seule consolation est d'avoir quitté le ministère huit jours avant ce triste événement, de l'avoir soignée pendant ces huit jours et ces huits nuits et de l'avoir vue entourée des soins les plus touchants. Mon Cousin de Villedeuil chez lequel elle est morte a été admirable (²). Elle est morte mardi à cinq heures 1/4, les journées de mercredi et de jeudi ont été pour nous de longues et douloureuses épreuves, nous l'avons ramenée à Paris près de notre père. Dis bien à Augusta qu'elle s'est rappelé ses bons soins lors de son passage à Paris.

Jules et moi nous vous
embrassons tous.

Edmond de Goncourt

Ton beau-frère (³) va bien, je l'ai vu ce matin, si tu voulais de moi et de mon frère au mois de novembre tu me ferais grand plaisir, tu me sauverais de ce triste appartement et je puiserais dans ta bonne amitié quelque soulagement. D'ici là je ne serai pas à Paris

(¹) Le 8 septembre 1848. Voir n. 2.

(²) Madame de Goncourt mourut le 5 septembre 1848 chez son cousin Anne-Pierre-Charles-Laurent, marquis de Villedeuil, au château de Magny-Saint Loup (voir L. III, n. 4).

(³) Léon Rattier, beau-frère de Léonidas par alliance, propriétaire de Jean d'Heurs, avait épousé Foedora Henrys, petite-fille de Joseph Henrys et d'Elizabeth-Mathilde Diez, sœur de Mme Jean-Antoine Huot de Goncourt. Augusta, dont le père Pierre-Antoine-Victor Huot de Goncourt avait épousé sa cousine Virginie Henrys, avait pour belle-sœur Foedora Henrys.

VII

Ce lundi (¹)

Mon Cher Léonidas

Eh ! d'abord point de mauvaises suppositions qui te font penser que ta lettre a été reçue avec accompagnement d'haussement d'épaule et d'envoi au diable. J'ai vu dans cette lettre une preuve

(¹) Nous pouvons situer cette lettre en novembre 1848, mois pendant lequel Jules préparait son baccalauréat (voir n. 3).

de ton intérêt pour moi, tu ne m'aurais pas écrit dans cette circonstance que j'aurais cru à de l'indifférence, bien au contraire j'ai à te remercier mais maintenant tu me permettras de te répondre nettement, franchement, catégoriquement.

Ma démission n'est pas l'effet d'un coup de tête c'est à la fois le fruit de sérieux dégoûts, le résultat de mûres délibérations (²). Vingt fois pour ne pas dire plus, cette démission j'ai été au moment de la donner l'année dernière et n'ai été retenu que par cet argument maternel : tu n'as pas assez de fortune pour vivre sans une place, attends qu'un événement quelconque soit une amélioration dans notre fortune, qu'un mariage t'ait assuré l'indépendance, et je ne combattrai plus cette résolution. Ma mère me parlait ainsi parce qu'elle m'avait vu plusieurs fois sortir du ministère malade de travail, d'ennui, de dégoût et qu'elle savait que mon séjour au ministère vaut plus que toute autre chose un sacrifice était un sacrifice bien sûr que je faisais à sa santé.

Aujourd'hui que ce sacrifice que j'aurais eu le courage, Dieu m'en est témoin, de continuer longtemps, est sans but je ne sais vraiment pourquoi je l'éterniserais. Oui vraiment quand tu as cru puiser dans l'amitié bien tendre qui m'unissait à ma mère, dans le souvenir impérieux d'une mourante aimée l'argument qui fait la base de ta lettre, tu ne t'étais pas trompé sur la toute puissance qu'aurait sur moi l'invocation d'un tel moyen ; malheureusement pour toi, telle n'a pas été la volonté de ma mère, ma mère s'est vue mourir, elle m'a fait toutes les recommandations qu'elle avait à cœur de me faire, elle ne m'a pas dit un mot du ministère et cependant elle savait bien que le lendemain de sa mort je donnerais ma démission, c'est qu'elle savait bien, elle qui me connaissait, que le bonheur n'était pas là pour moi. Quant à cette accusation d'interrompre les études de mon frère, de l'empêcher de faire sa philosophie, de passer son baccalauréat, cette accusation n'est point fondée, je ne fais que continuer les intentions de ma mère, Jules devait ne pas faire de philosophie et passer son baccalauréat au mois d'août dernier s'il ne l'a pas fait c'est qu'un certificat lui a manqué (³) ; quant à l'utilité de la philosophie, je pense tout à fait

(²) Edmond devint propriétaire et rentier à 27 ans, après la mort de sa mère le 5 septembre 1848. Il en profita pour abandonner son emploi à la Caisse du Trésor qu'il abhorrait.
(³) Jules avait fait une brillante rhétorique et avait songé passer son baccalauréat un an à l'avance, au mois d'août. Cela était possible pour les très bons élèves, à condition de posséder un certificat d'études domestiques, certificat qui manquait à Jules. Il le passa donc en candidat libre le 15 février 1849, avec succès (cf. L. IX). Dans une lettre à Louis Passy datée du 11 novembre 1848, il évoque

comme ma mère et surtout à une philosophie faite au milieu d'une grande liberté et sans un immense goût pour cette science, je crois beaucoup plus utile et surtout plus urgent de passer son baccalauréat au plus tôt, ce sera au mois de janvier qu'il le passera et nous ne quitterons pas Paris de toute manière qu'il ne soit passé.

Arrivons maintenant au voyage d'Italie, le grand cheval de bataille ; d'abord ce voyage est quelque chose de bien indépendant de ma démission, ensuite ce voyage qui est plutôt une espérance qu'un projet puisqu'il est sous l'influence d'événements politiques qui deviennent tous les jours plus menaçants me semble un projet plus que tout autre raisonnable. D'abord notre véritable projet est d'aller tout simplement passer l'hiver de 1849 à Florence où la vie est meilleur marché qu'à Paris, où nous serons délivrés des tracas de la situation politique, entre autres de la mobilisation qui n'a rien de très aimable... Jules pourra apprendre à fond la langue italienne et trouver à ces études le complément que j'ai vu souhaiter à tout père de famille pour son fils. Je ne vois donc, je dois l'avouer, rien de déraisonnable dans ce projet, rien de si préjudiciable pour Jules qui a le plus grand éloignement pour l'administration et qui pencherait pour la diplomatie que de savoir parfaitement l'italien et de se créer peut-être des relations qui pourraient lui être utiles dans sa carrière future mais je te le répète encore une fois ce voyage d'Italie n'est qu'une espérance et il ne joue pas le moindre rôle dans ma démission. Les motifs de ma démission les voici. J'ai pu croire beaucoup plus jeune que la fortune faisait le bonheur, une étude assez approfondie des gens riches que je connais m'a bien vite démontré que je me trompais, non que je fasse fi du Dieu Plutus (⁴), non non, il joue un rôle très sérieux dans le bonheur mais quand il ne vous a pas tout à fait maltraité, quand il vous a donné de quoi vivre honorablement je ne crois pas que de nouvelles faveurs de sa part vaillent la perte de votre indépendance, l'abrutissement de votre intelligence, je crois que quand on a le bonheur de tenir de ses parents l'*aurea mediocritas* chantée par

la préparation de cet examen : « Pour moi, mon cher Louis, je vais toujours mon petit bonhomme de chemin. Dans ce moment je viens de finir d'apprendre l'histoire romaine. Voici donc le bilan de mon savoir. Je sais la philosophie, l'histoire ancienne, l'histoire romaine. Avant de partir j'apprendrai l'histoire du Moyen Age et l'histoire moderne ; je réapprendrai la géographie et la littérature et je n'aurai plus du 10 au 30 décembre que les mathématiques, la physique, la chimie et l'histoire naturelle. Voici l'ordre et la marche » (*Lettres de Jules de Goncourt*, p. 7).

(⁴) Plutus, dieu des richesses.

Horace ([5]), on a mieux à faire qu'à passer par toutes les exigeances
absurdes d'hommes qui ne vous valent pas sous le rapport de l'honnê-
teté et de l'intelligence, mieux à faire qu'à sacrifier toutes ses convic-
tions politiques, mieux à faire qu'à annihiler son intelligence dans
trente années de chiffres, voire même pour arriver à un traitement
de 12.000. F. Quand on n'a pas de fortune il faut se résigner, rien
de mieux, et je me serais résigné comme un autre, mais nous, ma
mère nous laisse à chacun 5.000 livres de rente, petite fortune qui
ne peut que s'améliorer à moins d'un cataclysme général, j'ai des
goûts simples et neuf années vierges de toute folie figurent à l'appui
de mon assertion, années pendant lesquelles dans la plus grande
liberté je me suis trouvé très souvent sans le sou, quelquefois avec
plus d'argent que n'en avaient les jeunes gens de mon âge, deux
conditions pour faire des bêtises et je m'en suis abstenu. J'ai des
goûts de littérature, de dessin qui ont toujours rempli les années
pendant lesquelles je n'avais pas d'occupation commandée : et tu
voudrais quand j'ai une fortune qui suffit à mes goûts, quand j'ai
des goûts qui me défendent d'être inoccupé, tu voudrais que je
retournasse aux additions pour ajouter quelques mille francs à ce
que je possède, à ce qui me suffit. Crois-tu que le bonheur sera pour
moi dans ce supplément monétaire, non il est dans la satisfaction
de mes goûts, malheureusement pour moi, comme la plupart des
hommes n'ont pas mes goûts l'opposition se fait, je ne m'en plains
pas seulement je tiens à me défendre, je te dirai donc que le dada
de chaque homme est différent et que c'est une erreur je crois de
vouloir tailler à tout le monde le bonheur sur le même patron.
Enfin sans pitié pour ta personne je lui pousserai un argument et
je lui dirai : Auguste personne, vous qui n'avez pas voulu prendre
une carrière non pas pour rester inoccupé mais dans une juste
défiance des hommes et des choses, vous qui avez voulu rester
maître de vos jugements, de vos appréciations, blâmeriez-vous
chez un autre ce que vous avez fait, l'argument d'une plus grande
fortune n'en est pas un. Et remarque mon cher cousin que par
déférence pour toi j'ai bien voulu admettre l'hypothèse de plusieurs
milliers de francs d'augmentation mais sache bien qu'à cette heure
l'administration à moins d'éhontées recommandations est devenue
le cul-de-sac le plus sans issue qu'il soit possible de trouver et cela
par les retenues, les diminutions de traitement et surtout par la

---

([5]) Horace recommandait en effet la modération dans les désirs : « Heureux,
dans sa médiocrité, celui qui, sur sa table frugale, voit briller la salière de ses
aïeux, celui dont le sommeil n'est troublé ni par la crainte ni par une fatale
ambition ! » (*Odes*, liv. II, 16, A Crosphus).

création de l'Ecole d'administration ([6]), que la caisse centrale où j'avais le bonheur de me trouver vous gratifie dans ce moment de neuf heures d'un travail qui m'avait rendu malade cet hiver, qu'en outre les congés sont d'une rareté telle que dans ce moment où j'ai vraiment besoin d'aller à Chaumont, à Breuvannes où mes affaires emploient toutes mes journées on m'avait refusé un congé de 15 jours ([7]). Ab uno disce omnes ([8]). Ce sont là cependant des considérations de quelque poids à l'appui de ma démission mais ces considérations s'effacent devant le désir d'être un homme maître de ses sentiments, de ses opinions, occupé d'autre chose toute sa vie que d'additions. J'ai une grande amitié pour mes deux oncles ([9]), pour toi elle est peut-être un peu plus vive mais je n'ai pu raisonnablement vous faire le sacrifice de toute ma vie, du reste je te dirai que je n'ai rencontré qu'une très faible opposition de la part de mon oncle de Courmont, ce parti il le pressentait et peut-être n'a-t-il pas vu pour moi dont il connaissait le passé les dangers dont votre bonne amitié fait les frais pour l'avenir. Tu m'offres l'hospitalité mon cher ami, j'en profiterai si toutefois tu as de l'indulgence pour mon opposition, j'en profiterai même beaucoup plus tôt que tu ne le pensais, par une sottise du notaire nos affaires sont remises en décembre, nous profiterons de ce retard pour partir le 15 ou 16 courant, si tu peux nous recevoir réponds-nous et dis-nous quel mode de transport de Toyes à Bar-sur-Seine. Nous partirons par les messageries nationales qui arrivent le matin à Troyes à 5 ou 6 heures, si ta réponse nous fixait un jour nous le choisirions. Permets-moi en attendant notre arrivée de vous embrasser tous bien tendrement, pour moi et mon frère

Edmond

Pardonne-moi si cette longue lettre s'est fait attendre si longtemps, ce retard s'explique par le profond découragement qui s'est emparé de moi et qui ne me laisse quelquefois le courage de faire des choses utiles, nécessaires, indispensables.

([6]) Cette école fut créée en septembre 1848 dans le but de remplacer les fonctionnaires ayant été évincés à la suite des journées de juin.

([7]) Edmond devait aller voir Me Lambert à Chaumont et Me Collardez à Breuvannes afin de s'occuper de l'héritage de sa mère.

([8]) « D'après un seul apprends à connaître les autres » (VIRGILE, *Enéide*, II, 65). Enée dit ainsi à Didon comment Simon, le Grec perfide, persuada aux Troyens de faire entrer dans leurs murs le cheval de bois.

([9]) Les deux oncles : l'oncle paternel Pierre-Antoine-Victor Huot de Goncourt (voir L. I, n. 4) et l'oncle maternel Jules de Courmont, demi-frère de leur mère, châtelain de Croissy-Beaubourg, conseiller à la Cour des Comptes.

VIII

8 Janvier 1849

Mon Cher cousin,

Je comptais sur les premiers jours de la nouvelle année non pour des souhaits de bonne année et de bonne santé que j'aime voir former à toutes les époques et non exceptionnellement pour ce seul jour, mais pour te remercier de ta bonne hospitalité, mais depuis le 2 nous sommes envahis par les clercs de notaire, greffier, commissaires priseurs qui par leurs tristes perquisitions, leurs recherches nous tiennent chez nous depuis midi jusqu'à six heures occupés à leur donner des renseignements qui hélas ne sont pas toujours complets car tous nos titres de propriété sont entre les mains de mon oncle Victor ou plutôt sont à Neufchâteau où ils ont été envoyés par ma mère après le décès de mon père. Où mon oncle les a-t-il fourrés je n'en sais rien, quand pourrais-je les ravoir, je ne m'en doute pas. Cependant ce serait un véritable service à me rendre lorsque tu iras à Neufchâteau de faire un tri des pièces qui me sont personnelles et de me les envoyer. Quant aux pièces qui nous sont communes, que mon oncle les garde mais que lui ou toi me donniez le catalogue complet. Le représentant ne va pas mal, j'ai dîné avec lui deux fois depuis mon retour chez mon oncle ([1]) et ne me suis pas aperçu que les occupations de représentant et les préoccupations de l'homme politique aient influé sur le physique de l'homme privé, il a le teint de l'homme heureux. Quant à la politique il me semble qu'elle prend une teinte bien sombre, et que nos prévisions sur l'avenir napoléonien ne nous avaient pas trompés. Impossible de trouver dans l'histoire un pouvoir dont les débuts soient plus malheureux, j'ai eu l'avantage d'assister à la fameuse séance du programme ([2]). Rien de plus triste, de plus misérable. Tu n'a pas d'idée de ce qu'a été le grand Odilon Barrot, le Nestor du cabinet

---

([1]) Le « représentant » est l'oncle Pierre-Antoine-Victor; l' « oncle » est l'oncle Jules de Courmont (voir L. VII, n. 9).

([2]) Elu Président de la République le 10 décembre 1848, Louis-Napoléon prêta serment le 20 décembre et annonça lors de la même séance un programme écrit où il promettait « d'asseoir la société sur ses véritables bases ». Timide et silencieux, ne connaissant personnellement aucun ministre sauf Barrot, haïssant le régime parlementaire, il se heurta à l'hostilité des vieux parlementaires accoutumés à regarder comme un danger l'action personnelle du chef de l'Etat.

a complètement perdu la tête devant l'attitude menaçante de la Montagne, s'est embarrassé dans la prosopopée de Guizot et a fait un four complet (³). L'après-demain la loi sur le sel (⁴), la dislocation du cabinet (⁵), la mise au jour des missives impériales du *Prince* etc etc.... A la réception du jour de l'an, il s'est mis à refaire les mots de son oncle (⁶), de la restauration, de la quasi-restauration, malheureusement pour nous, il a choisi ceux qui se trouvent dans tous les almanachs. Dans ces paroles gracieuses on cite trois bévues sur trois paroles. Tu sais qu'en France le ridicule est une arme qui tue, eh bien, le malheureux prince est en train de se suicider. Je crois que le printemps est plus que jamais gros d'orages politiques, aux complications intérieures il pourrait bien s'en mêler d'extérieures (⁷).

Cette lettre-ci ne la regarde mon cher ami que comme une protestation contre la pensée que tu pourrais avoir que nous vous oublions et que nous n'avons pas gardé un souvenir bien reconnaissant de votre bonne et affectueuse amitié, je t'en écrirai bientôt une plus longue.

Nous vous embrassons sur les deux joues mon frère et moi (⁸). Abillon pense-t-il toujours à cosins (⁹). Je ne veux pas penser que je n'embrasserai pas ta femme chez moi dans quelques jours.

(³) Odilon Barrot (1791-1873), ancien chef de l'opposition dynastique. Après l'élection du 10 décembre 1848, il accepta de Louis-Napoléon la présidence du Conseil et la fonction de garde des Sceaux. Le désignant comme « Nestor du cabinet », Edmond fait allusion à sa vieillesse vénérable, pleine de sagesse et de prudence. Barrot se montra un adversaire infatigable de Guizot depuis 1840 en soutenant toutes les propositions de réforme électorale et parlementaire. Guizot (1787-1874) dut s'exiler en Angleterre à la chute de Louis-Philippe. Cette absence explique le terme « prosopopée ».

(⁴) Louis-Napoléon rencontra l'opposition des républicains et de la Montagne qui se défiaient de lui, et des partis dynastiques qui espéraient un retour à la monarchie. Leur hostilité se manifesta ainsi par la réduction de l'impôt sur le sel et la suppression de celui sur les boissons, mesures que le président avait combattues.

(⁵) Après son élection, Louis-Napoléon forma un gouvernement composé d'orléanistes libéraux avec à leur tête Odilon Barrot. Mais dès les premiers jours un conflit éclata avec Malleville, ministre de l'Intérieur, qui démissionna. Les ministres donnèrent aussitôt leur démission collective. Le Président la refusa. Seul Malleville maintint sa démission, ainsi que Biscio, le seul ministre républicain. Ils furent remplacés par des orléanistes.

(⁶) Son oncle Napoléon Iᵉʳ, frère de son père Louis-Bonaparte (1776-1846).

(⁷) Allusion à la direction que Louis-Napoléon donna à l'expédition romaine sans avoir obtenu l'aveu de l'Assemblée, en vue de rétablir le pouvoir temporel du pape.

(⁸) Cette lettre est écrite par Edmond.

(⁹) Le mot « cosins » imite la prononciation erronée de Marin.

Mille choses à Melle Ponchard (¹⁰). J'espère que ma cousine aura trouvé dans le journal des demoiselles du 1ᵉʳ janvier quelques modèles de broderie (¹¹).

(¹⁰) Mlle Marie Ponchard, fille d'un instituteur, veillait à l'éducation de Marin et Noémie.

(¹¹) Le *Journal des Demoiselles*, fondé en 1833, comportait en supplément de belles gravures de modes en couleurs et des patrons à l'occasion de chaque nouvelle année.

IX

Vendredi 16 Février (¹)

Je suis heureux, mon cher cousin, de ne t'avoir pas encore répondu. Tu avais mis tant d'obligeance à m'écrire de suite, qu'une paresse d'un mois serait impardonnable de ma part si mon silence n'avait eu un motif que je te vais dire ; je t'écrivais que je comptais passer vers le 16 janvier ; et les démarches que j'ai été obligé de faire, tant à la mairie qu'au ministère de l'Instruction Publique ne m'ont permis de passer mon examen que le 15 février ; je ne suis donc bachelier que d'hier, et je m'empresse de t'en informer, sachant toute la part que tu prendras à mon succès (²) ; je te prierai aussi de faire accepter à M. Maire (³) tous mes remerciements pour le service qu'il m'a rendu, service dont je lui suis très reconnaissant.

J'ai eu un examen assez difficile : ce qui m'a fait recevoir, c'est ma version, et l'explication des auteurs Grecs et Latins ; j'ai trouvé moyen, je ne sais par quel miracle, de répondre quelque chose à des questions de mathématiques dont je ne savais pas le premier mot ; enfin hier à deux heures et demie, la Sorbonne a compté un bachelier de plus et un élève de moins.

Maintenant mon cher cousin, que je t'ai assez longuement parlé de moi, je te demanderai de vos nouvelles ; car tu me disais que ta femme après avoir été gardée par toi, faisait à son tour auprès de toi l'office de garde-malade. Es-tu tout à fait remis ? J'espère que tu t'es rattrapé ; et que maintenant tu trônes souvent à la bécas-

(¹) 1849 : année où Jules est reçu bachelier.
(²) La Bibliothèque de l'Arsenal possède le diplôme de bachelier de Jules de Goncourt, daté du 15 février 1849 et contresigné par Falloux, ministre de l'Instruction publique.
(³) Dans le *Journal*, les Goncourt citent deux fois M. Maire, ami des Labille à Bar-sur-Seine (voir *J.*, t. IV, p. 38 et 221).

sière (⁴), au milieu des abattis d'ypréaux (⁵), et des circonscriptions des ateliers.

Il y a assez longtemps que je n'ai vu le représentant (⁶) ; la dernière fois que je l'ai vu sa santé ne paraissait pas se ressentir de l'agonie de la Chambre (⁷) ; il était du reste furieux contre les royalistes, et autres bons citoyens, partisans plus ou moins blancs du Chapon de Frohsdorff (⁸) ; furieux contre Changarnier qui avait présidé à la mise en scène militaire du 29 Janvier (⁹) ; furieux contre le ministère Falloux (¹⁰) ; furieux contre le suicide de cette chambre qu'il voit d'avance remplacée par des modérés nuance Montalembert (¹¹), gens qui selon lui ne sont pas propres à enrayer les révolutions... au contraire.

Et dans tout cela, mon cher cousin, nous n'avons pas vu arriver

(⁴) La Bécassière est un bois avec « une masure, la maison », appartenant à Léonidas Labille (cf. *J.*, t. VII, p. 220).

(⁵) Les ypréaux sont des ormes à larges feuilles.

(⁶) L'oncle Pierre-Antoine-Victor (voir L. I, n. 4).

(⁷) L'Assemblée constituante élue le 23 avril 1848 n'avait plus de raison d'être, la Constitution ayant été votée le 4 novembre et un Président de la République élu le 10 décembre. Une controverse s'était élevée pour savoir quand expirerait cette assemblée. La majorité républicaine de la Constituante se décomposait et sentait bien que les conservateurs seraient majoritaires dans la Législative. Le gouvernement bravait sans risques l'Assemblée agonisante, savait pouvoir compter sur le parti de l'ordre qui faisait pression pour l'établissement rapide de la Législative.

(⁸) Henri, comte de Chambord (1820-1883), chef de la branche aînée des Bourbons, prétendant légitimiste exilé à Frohsdorf. Son attitude attentiste malgré l'appel de ses partisans lors de la révolution de février 1848 explique sans doute qu'il soit ici traité de chapon. Il consentit seulement à se rapprocher de la frontière française, à Wiesbaden, où ses amis légitimistes ne parvinrent pas à le réconcilier avec la famille d'Orléans.

(⁹) Nicolas Changarnier (1793-1877), général qui rétablit l'ordre après la manifestation du 16 avril 1848. Avant de se rallier au Parti monarchiste, il soutint d'abord le Président de la République. Le 29 janvier 1849, il mit sur pied l'armée de Paris sans prévenir le président Marrast et garnit de soldats les alentours de l'Assemblée. Il proposa à Louis-Napoléon Bonaparte « d'en finir avec l'Assemblée » par un coup de force. Thiers, qui était là, déconseilla un coup d'Etat. Alors le Président s'y opposa. Désappointé, Changarnier retira ses troupes.

(¹⁰) Le comte de Falloux (1811-1886), auteur de la fameuse loi du 15 mars 1850 en faveur de la liberté de l'enseignement. Au lendemain de son élection du 20 décembre 1848 à la présidence de la République, Louis-Napoléon Bonaparte forma un ministère d'anciens notables royalistes présidé par Odilon Barrot. La figure la plus remarquée en fut le comte de Falloux au ministère de l'Instruction publique et des Cultes.

(¹¹) Le comte de Montalembert (1810-1870), adepte des principes de Lamennais unissant catholicisme et démocratie. Il se rallia cependant au parti de l'ordre lors du coup d'Etat afin d'éviter « le gouffre béant du socialisme ».

Augusta ; ni les dîners de Mr Marrast ([12]), ni les bals de Mr Louis Bonaparte n'ont donc pu la séduire ? Ou bien serait-elle encore souffrante ? J'espère bien que ce n'est pas ce dernier motif qui nous prive du plaisir de la voir, plaisir dont nous ne perdons pas du reste encore complètement l'espoir, tu vois qu'on espère longtemps les choses que l'on désire.

Edmond a eu ces jours-ci un peu mal au genou ; mais grâce aux frictions et à la flanelle, cela va beaucoup mieux maintenant ; et il commence à m'arpenter les rues de Paris d'un train qui ferait honneur à un tirailleur de Vincennes. Il te dit ainsi qu'à ta femme mille choses affectueuses ; et je crois que vous êtes menacés de nous héberger quelque temps pendant le mois de Juin, avant que nous ne nous dirigions vers le midi de la France. Voilà ce que c'est que de nous recevoir avec tant de cordialité !

Mon oncle me parle souvent de la petite Mimi, il espère qu'elle travaille bien et que Melle Ponchard en est complètement contente ; pour moi je n'en doute pas, et j'ai raison, n'est-ce-pas ?

Pour Mr Abillon, ce doit être à l'heure qu'il est presqu'un jeune homme ; je fais des vœux pour que Catherine ([13]) sente moins ses marques d'amitié. Quand il mangera moins, et qu'il .... au lit moins, ce sera un garçon accompli. Mais la perfection, c'est trop demander.

Adieu, mon cher cousin, et encore une fois merci ; Edmond se joint à moi pour t'embrasser, toi, ta femme, et tes enfants.

ton cousin

Jules

([12]) Voir L. III, n. 9.
([13]) Catherine, la domestique des Labille.

X

Ce 19 Juillet ([1])

Ma Chère cousine

Ta bonne amitié pour nous me fait un devoir de secouer la paresse et de te donner des nouvelles de notre odyssée toute terrestre ([2]). Nous sommes à Châtillon mais ici je crois que je ferai

([1]) 1849.
([2]) Voir l'itinéraire de ce voyage que nous avons donné en Annexe.

mieux, au lieu de continuer ma lettre, de t'envoyer la relation manuscrite du voyage, relation due à notre collaboration exclusive, c'est de l'histoire jour par jour, presque heure par heure, tu remarqueras que la gastronomie tient une grande place mais j'ai dû me rendre aux observations de mon frère qui m'a fait remarquer que cette science n'occupait pas encore dans les voyages la place qu'elle mérite. Je transcris.

Dimanche 15 Juillet, de Bar-sur-Seine à Mussy : 19 kilomètres. Six heures et demie sonnent. — nous partons. — Touchants adieux en face de Villeneuve — Le supplice des voyageurs commence — Courroies des sacs, coutures des souliers — Mots heureux recueillis sur notre passage. — Buxeuil — C'est pourtant en deuil ces gens-là — (Neuville — Deux jeunes filles à l'aspect de la physionomie imberbe et peu farouche de Jules s'écrient : quelle figure (3) ! ! ! dans le sens le plus exclamatif et le plus horrifique — Gye — Porte-ballots. Impression générale de profond mépris pour la blouse. — Courteron — Déception — Effet de recul de Mussy — Ampoules peu bénites de Jules. — Mussy — Le célèbre Billard (4) est sur sa porte. — Pas de chambre — Ah bigre Ah sapristi — D'un hôtel nous tombons dans un bouiboui — Humerie dominicale du piot (5) de l'endroit par quatre ou cinq gars. — Entente cordiale — Difficulté — Un seul lit — L'aubergiste est dedans — Madame monte pour faire descendre Monsieur — Inanité de ses efforts honnêtes et modérés — « J'aimerais autant que ces messieurs s'en aillent », dit-elle en descendant. Preuves de sympathie — du plus aimable voyou de la troupe — Il se lève pour secouer le mari — Recommandations de Madame — Appel à la conciliation « Le sabreur » a un coup de vin, il pourrait cogner — Chœur — Sacré sabreur va ! — Il paraît que c'est le nom de guerre du Monsieur — Heureuse issue de la mision diplomatique de notre jeune ami — Gémissements du plancher sous des pas plantureux. — C'est l'hôte qui se décide à se lever — Sa descente avinée le long de l'escalier — Voir l'auberge des Adrets, Acte 1er,

(3) « Nous étions partis... pour un voyage qui devait durer la moitié d'une année. Mon frère encore sans moustaches, et qui, jeunet et mignon et tout rose, avait un vrai visage de femme, était pris par les paysans, sur notre passage, pour une fillette que j'avais enlevée, et que je promenais ainsi à travers toute la France. » Edmond rapporte ce fait dans une note à propos d'une lettre de Jules à Louis Passy, datée du 29 septembre 1849 (*Lettres de Jules de Goncourt*, p. 23).

(4) Jean-Baptiste Billard (1800-1854), cafetier à Mussy, rue de la Route. Mme Billard, dont il est question plus bas, travaillait avec son mari comme limonadière.

(5) Locution familière de Rabelais; le piot est un terme populaire désignant le vin.

scène par Frédéric Lemaître — Frédéric pianote moins ([6]) — Notre lit s'élabore — Notre lit est fait — Nous montons — Surprise — Lit d'un enfant de sept ans dans lequel on nous fait coucher tous deux dans une serviette — Odeur de lessive antigalleuse — Nos deux héros se couchent — Refrains bachiques dans le second dessous — Hymne décolleté à la tendre Châlons — Chants légers et badins

C'était un soir
Dans la forêt noire
. . . .

Le sommeil nous gagne — Nos pistolets et une enceinte continue de chaises veillent pour nous.

Lundi 16 Juillet
Mussy

Le coût de nos impressions de la veille est fixé à 26 sous y compris deux bouteilles de bière. — Déménagement chez Billard. — Suite des mots heureux — Progrès — (Nous sommes flattés au passage de l'épithète de touristes) — Eglise de Mussy — Statues chromolithographiques curieuses — Bas-relief. La descente de croix dans le goût du 14ème siècle — Tombeaux renommés taillés à la serpe ([7]) — Déjeuner : gigot ratatouille, brocheton frit, framboises, fromage, vin du crû, total très médiocre en attendant l'addition — Dessin à l'église. Cohorte de petites filles prenant mon dos pour une échelle — Nous sommes obligés de leur demander les heures de classe afin de choisir ces heures-là — Dîner : soupe grasse bœuf, poulet rôti matelote, cerises, fromage — Mieux — Beaucoup mieux que le matin — Promenade coucher du soleil — nuit copieuse

---

([6]) Frédérick Lemaître (1798-1876) révéla son génie d'acteur dans *L'Auberge des Adrets*, mélodrame sérieux de Benjamin ANTIER donné pour la première fois à l'Ambigu-Comique en 1823. Il composa le rôle de Robert Macaire d'une façon très originale et excentrique. La scène à laquelle Edmond fait allusion se déroule au premier acte. Ce brasseur d'affaires scélérat, joué par Frédérick Lemaître, dévalise avec son compère Bertrand un riche bourgeois qui arrive dans une auberge pendant la nuit.

([7]) L'église de Mussy, des xiiie et xve siècles, renferme les tombeaux de Guillaume de Mussy et sa femme, de la fin du xiiie siècle, et aussi une belle descente de croix, de la fin du xive siècle sur laquelle Edmond écrira bien des années après, le 13 juillet 1871 : « Aujourd'hui, je vais avec Marin à Mussy... Je retrouve, avec une profonde tristesse, dans un coin de l'église, cette vieille descente de croix en pierre que nous avions dessinée ensemble et que je ne croyais jamais revoir tout seul » (*J.*, t. X, p. 25).

Mardi 17 Juillet
Mussy

Déjeuner : côtelettes de veau matelote, fromage, framboises, assez bien — Dessin à l'Eglise — Cerné par un jeune public dont la partie masculine exhale une odeur trop prononcée d'ail, de haillons etc., découvre un tréteau et s'y juche — Dîner : soupe bœuf, foie de veau, salade, fromage, cerises — très médiocre — Ah ! madame Billard est-ce que l'amabilité chez vous doit être considérée comme la partie la plus succulente de nos repas. — Du haut de la promenade nous voyons Mussy se perdre dans les vapeurs violettes du crépuscule —

Mercredi 18 Juillet
De Mussy à Châtillon, 17 kilomètres.

Déjeuner : œufs et café — Journée entière à l'Eglise. J'y dessine une Ste Madeleine 1592, ébauche une sainte inconnue de 1447. Jules découvre un détail de serrurerie byzantine — Dîner : soupe bœuf, légumes au lard, brochet, pigeon, tarte et cerises — Très bien — La carte monte à 26 f. — Départ à six heures en dépit d'un ciel prometteur d'ondées — Nous traversons Gomeville, Charrey, Villers-Patras, Otrée ([8]) — Route agréable rafraîchie par quelques grains — De Montliot à Châtillon route insipide — Châtillon, Hôtel de la Côte d'Or.

Jeudi 19 Juillet
Châtillon.

Visite à St Nicolas — En face maison ancienne à mansardes très pittoresques ([9]) — Comme quoi les mansardes ont précédé Mansard ([10]), Eglise St Vorle ([11]) — St Sépulcre. Statues blanches aux visages et mains coloriés — Déjeuner : côtelettes vin blanc, café. — Marchande de tabac ravissante — Type rosé —
La suite au prochain.... à la prochaine lettre Nous pensons quitter Châtillon après-demain mais nous n'irons pas à Dijon directement, nous avons le projet d'aller à Flavigny... nous t'en-

([8]) Gomeville et Otrée s'écrivent en fait Gommeville et Obtrée.
([9]) L'église Saint-Nicolas, du xiie siècle, fait face à la maison Philandrier, de la Renaissance, qui abrite un musée archéologique.
([10]) François Mansard (1598-1666) est effectivement l'architecte à qui l'on attribue l'invention de cette couverture à comble brisé dénommée mansarde.
([11]) L'église de Saint-Vorle, de la fin du xe siècle, contient un très bel ensemble statuaire représentant le Saint-Sépulcre.

verrons de Dijon une suite de nos aventures qui si elles n'ont pas
le mérite d'être intéressantes ont le mérite d'être conformes à notre
épigraphe : La vérité, toujours la vérité et encore la vérité. Sur ce
nos embrassements bien sincères à toi, ton mari, ta fille. Bien des
choses à M. Ponchard et hon pour Marin.

Si tu vois les Dumanoir ([12]) dis-leur que leur bonne hospitalité
fait souvent le sujet de nos entretiens. Ecris-nous à Dijon. Nous ne
partirons de Dijon que tout à la fin du mois. Je voudrais te remercier toi et ton mari des bons soins que vous nous avez prodigués
chez vous pendant deux longs séjours mais tu le vois la place me
manque ([13]), venez les recevoir cet hiver à Paris —

([12]) Une brève allusion à la famille Dumanoir qui habitait Paris nous est
donnée dans le *Journal* (voir *J.*, t. II, p. 103).

([13]) Edmond écrit ce dernier paragraphe dans la marge de la première page
de sa lettre.

XI

Dijon ce 9 Août 49

Ma chère Augusta, tu as eu la bonté de répondre au journal
de notre voyage que nous t'avions expédié de Châtillon. Ta lettre
nous a fait grand plaisir. On est heureux quand on voyage de ren-
contrer de temps en temps un souvenir des personnes qu'on regrette
derrière soi. Ce sont des étapes où l'on se rappelle les uns aux autres.
Sous ce rapport, nous avons été gâtés à Dijon. Cinq lettres ! C'est
bien commencer. Puisse la même ration épistolaire nous suivre
dans toute notre longue traversée ! Sois sans inquiétude sur notre
compte, ma chère Augusta. Notre voyage marche jusqu'à présent
sur des roulettes ; nous ne rencontrons que gens aimables ; c'est
une véritable procession de personnes polies et obligeantes ; mes
ampoules, rassure-toi, ont complètement disparu ; nos épaules
sont presque habituées aux courroies de nos sacs ; nos souliers nous
paraissent des escarpins ; et nous faisons sept lieues dans nos journées extraordinaires ; enfin, le voyage à l'Allemande ([1]) que nous
effectuons ne nous a encore offert aucune des déceptions habituelles
à toutes les choses d'ici-bas. De temps en temps, les jambes sont
bien un peu fatiguées ; le soleil de midi nous frappe un peu rude-
ment sur le dos ; nous sommes obligés de grimper, suants et hale-

([1]) Voyage pédestre.

tants, des montées qui ressemblent à des échelles ; mais nous ne pensons plus à tous ces désagréments, quand notre bonne étoile nous conduit devant un bon lit ou une bonne table. D'ailleurs les voyages ne sont que des contrastes ; et nous nous plaindrions d'une perpétuité de bien-être qui tournerait à la monotonie. En un mot, et cela est tout l'éloge de notre voyage, l'ennui ne nous a pas encore pris ; et... nous ne prendrons pas, quoiqu'on dise, la diligence à Villeneuve, ni même à Dijon.

Après cet exposé général de notre situation, morale, mentale et pédestre, je passe, ma chère Augusta, aux détails circonstanciés. Je t'envoie ci-après le second numéro de notre journal quotidien : prix de l'abonnement : une lettre par numéro.

Le Dimanche, 22 Juillet 1849 : huitième journée de notre Odyssée. Edmond faillit se battre avec un curé furibond mais peu poli qui voulait le faire déguerpir pour dessiner pendant ou plutôt après une messe (²). Edmond se contenta de lui faire observer qu'il était un manant ; le curé grommela ; et Edmond sortit.

Ce même jour nous sommes allés de Châtillon à Semur. En route nous avons fait la connaissance d'un charmant jeune homme Polonais, vicomte richissime dans son pays, réduit à se faire maître d'études à Semur pour ne pas mourir de faim.

Nous sommes restés à Semur Lundi et Mardi ; et nous avons remarqué une fort belle église, deux vieilles tours, une position pittoresque.... (³), et le chef de cuisine de l'hôtel Prudent. Le Mercredi 25 Juillet nous sommes allés de Semur à Flavigny, où nous n'avons rien trouvé. Nous avons dîné et couché dans une méchante auberge, et le lendemain nous sommes allés à Ste Reine. Nous avons été accueillis délicieusement à Ste Reine par un Polonais, médecin de l'hôpital. Il est impossible d'être plus charmant qu'il n'a été pour nous. Il nous a présentés à sa femme jeune allemande entourée de blonds enfants, qui a aussi été très aimable pour nous. Nous avons passé là deux délicieuses soirées arrosées de punch et de thé ; tout contents de trouver un intérieur tout Parisien, et une conversation des plus saisissantes. Car Mᵣ Pzokalski n'est pas seulement un homme du monde, c'est encore un des hommes les plus remarquables que nous ayons rencontrés.

Le Samedi 28 nous avons quitté Ste Reine, et nous avons été à Vitteaux qu'on appelle le pot de chambre de la Bourgogne. Nous

(²) Jules désire en fait formuler « parce qu'Edmond dessinait ».
(³) Semur-en-Auxois s'élève sur un rocher de granit au pied duquel coule l'Armançon. Cette ville possède l'église Notre-Dame, reconstruite au xiiiᵉ siècle, quelques tours et anciennes murailles.

avons reconnu que cette réputation était méritée non seulement
par la ville mais encore par les hôtels. Nous avons rencontré à
Vitteaux, comme autre part l'inévitable commis marchand. Celui-
là était de Neufchâteau et connaissait beaucoup Chapied ([4]). Nous
avons rencontré aussi un employé des contributions indirectes.
Il nous a fait le catalogue de ses distractions. Cela ne formerait pas
un volume.

Le Mercredi 1ᵉʳ Août, nous avons fait pendant la grande chaleur de la journée, et par une route hérissée d'accidents de terrains
tout à fait Suisses, de montées et de descentes faites pour des
chamois, les 7 lieues qui séparent Vitteaux de Sᵗ Seine. Sᵗ Seine
n'ayant de remarquable que des ruisseaux d'eau courante et des
fantaisies (espèce de tourtelots ([5])), nous sommes partis le Vendredi
matin, comptant coucher à Val Suzon, mais comme le Sr Maugras
nous a terriblement volés pour notre déjeuner, et nous a ensuite
regardés comme des voleurs ou des insurgés (ce qui ne nous était
pas arrivé depuis les environs de Bar-sur-Seine ; au contraire),
nous avons poussé notre marche jusqu'à Dijon que nous avons
trouvée au bout de 27 kilomètres.

Depuis lequel jour, vendredi 3 Août, nous sommes à Dijon,
hôtel du Parc, chambre nº 7 ; très belle chambre du reste ; donnant
en plein sur la rue Chabot ([6]), et ornée de tapis, fauteuil, divans,
pendule arrêtée, et tout ce qui constitue le campement le plus
confortable. De Dijon, ma chère Augusta, je te dirai peu de choses :
sinon que le Parc est une promenade charmante, que la ville est
bien bâtie, qu'on voit beaucoup de pain d'épices et de moutardes,
que notre table d'hôte est bonne, que nous serions tout à fait bien
ici en un mot si nous avions faim le matin ; mais nous n'avons point
faim ; ce qui est bien triste à notre âge.

Nous nous demandons, ma chère Augusta, comment tu n'es
pas partie, toi, et toute la famille, pour Neufchâteau, au bras de
ton mari, du moment que la Chambre est prorogée ? Peut être
comptes-tu y aller plus tard ? Tu dois être bien contente du reste
de ces vacances représentatives. Mon oncle a là un congé convenable ([7]). Allons, ma chère Augusta, j'ai tant bavardé sur nous ;

([4]) Voir L. II, n. 7.

([5]) Les « fantaisies » désignées ici par le provincialisme « tourtelots » désignent
des feuilles minces de pâtisserie, décorées avec des fruits variés.

([6]) La rue Chabot-Charny située au cœur de Dijon contient deux beaux hôtels
particuliers dans le style bourguignon.

([7]) L'oncle Pierre-Antoine-Victor (voir L. III, n. 8), réélu le 23 mai 1849 à
l'Assemblée législative, disposait de ces premières vacances parlementaires
(11 août - 11 novembre) pour retourner à Neufchâteau.

que je n'ai plus de place pour te parler de toi et des tiens ; tu ne m'en voudras pas de cet égoïsme épistolaire. Edmond et moi, nous t'embrassons de tout cœur ; toi, ta fille, et le jeune citoyen Moutard-Abillon ; nous nous rappelons au souvenir de Melle Ponchard et nous te prions de faire parvenir une bonne poignée de main de notre part à l'exilé des Gouttes [8].

ton cousin bien affectionné

Jules

P.S. — As-tu renvoyé à Paris la malle que nous t'avons laissée ? Si tu l'as envoyée l'as-tu adressée à Rose [9] ou bien bureau restant ? Si c'est bureau restant, à quelles messageries ? Si tu ne l'avais pas envoyée, aie la bonté de prévenir Rose d'un mot, quand tu le feras. Réponds-nous poste restante à Lyon. Nous ne comptons pas y être avant un mois. Donne-nous réponse sur la malle. Adieu.

[8] La ferme des Gouttes-Basses (voir L. II, n. 9).
[9] Rosalie Malingre, dite Rose, vieille servante des deux frères entrée au service de Mme de Goncourt en 1837, morte en 1862. Le *Journal* nous apprend à maintes reprises combien Jules et Edmond aimaient ses expressions, son sens de l'observation non dénué d'humour.

XII

Avignon ce 13 8bre [1]

Ma Chère Augusta, nous avons eu une véritable déception de ne point trouver une lettre de toi à Lyon et vraiment nous avions presque l'intention de te tenir rigueur, mais en raison de l'affectueuse hospitalité du mois de juin, en raison peut-être du besoin d'épanchement épistolaire des voyageurs, nous te datons notre seconde lettre de la capitale française des papes et t'envoyons un second numéro de notre odyssée. Dès d'abord [2] nous ne dirons qu'en style vulgaire : nous avons mangé notre pain noir le premier, et qu'une ère d'hôtes polis, d'hôtesses à l'amabilité la plus soutenue de cuisine fine, de rencontres heureuses s'est ouverte pour nous, et que jusqu'ici nous avons été traités par le temps et les hommes en mortels favorisés.

[1] 1849.
[2] Edmond a ici employé une locution incorrecte à moins qu'il n'ait songé à la locution adverbiale « dès l'abord ».

Nîmes 19 8bre.

Une envie de dormir insurmontable et des courses à droite à gauche entremêlées de dessins ne m'ont permis de reprendre ma lettre que ce jourd'hui, j'extrais de notre voyage, beaucoup trop riche pour faire l'objet d'un envoi, quelques extraits — Le 16 août de Dijon à Nuits... Dîner à Chambertin — Un hectare au clos Vougeot : quelque chose comme 30.000 f. ([3]). Le 17 à Nuits — Le 18 visite à l'abbaye des Cîteaux, histoire des vicissitudes de l'abbaye du grand St Bernard ([4]) — 89 — Mr de Chauvelin — Arthur Young — les phalanstériens — enfin l'abbé Ré. Elle est devenue entre les mains de ce dernier une maison agricole de correction pour les jeunes détenus — Bâtiments gigantesques — Chapelle transformée en théâtre sous le règne de la phalanstérienne Mme Gatti de Gamond — 19 de Nuits à Beaune — L'hôpital, fondation de 1443 — Le plus saisissant, le plus original, le plus étrange monument de la France gothique ([5]) — le plus bel exemple de la mansarde décorée au 15ème siècle ([6]) — Merveilles de ferronnerie, modèles insignes de dentelures de crêtes et de clochetons — Le costume complètement blanc des sœurs taillées sur un patron

---

([3]) Le Clos-Vougeot, à la source de la Vouge, a une superficie de 50 ha seulement. Dans les *Mémoires d'un touriste* (1838), STENDHAL nous livre une description enthousiaste de ce « clos immortel ».

([4]) Saint Robert fonda l'abbaye de Notre-Dame de Cîteaux en 1098, suivant une règle inspirée de saint Benoît mais plus austère. Le monastère faillit s'éteindre, lorsque saint Bernard s'y enferma avec ses frères et la fit revivre. Après avoir été plusieurs fois pillé, le domaine de Cîteaux fut acquis au nom des trois enfants Tavernier de Boulongne, lors de la vente des biens nationaux en 1791. Une des filles avait épousé le marquis Bernard-François de Chauvelin (1766-1832), conseiller d'Etat et député. Les rapports étant devenus difficiles entre M. de Boulongne et sa sœur Mme de Chauvelin, le domaine fut vendu le 7 décembre 1841 à M. Arthur Young, gentleman anglais, fourriériste modéré, qui établit à Cîteaux un phalanstère qu'il dirigeait lui-même. Il était aidé dans cette entreprise par d'autres capitaux, notamment ceux de Mme Gatti de Gamond, riche dame belge féministe qui s'y ruina ! le phalanstère fit en effet faillite et la « Terre de Cîteaux » fut adjugée à l'abbé Rey (et non « Ré », comme l'écrit Edmond), fondateur des Frères de Saint-Joseph, le 25 juin 1846. Il y fonda avec plus de succès une colonie agricole pour jeunes détenus.

Un bâtiment ancien avait été transformé en théâtre avant l'arrivée du P. Rey ; mais il ne s'agissait pas d'une chapelle, comme le pense Edmond : c'était la bibliothèque achevée en 1504, existant toujours aujourd'hui, en partie restaurée.

([5]) Le célèbre Hôtel-Dieu de Beaune, construit de 1443 à 1451, a conservé un caractère gothique flamand.

([6]) Sous l'immense toiture de tuiles vernissées se détachent deux séries de lucarnes avec de hauts pignons surmontés d'épis de plomb.

gothique, leurs coiffes Isabeau (⁷) semblent peupler les galeries d'apparitions du moyen-âge — 21 de Beaune à la Rochepot : vieux château ruiné (⁸) — Le cul de Menevaux (⁹) — Thébaïde miniature — Du pied d'un immense pan de granit s'échappe un mince filet d'eau courant sur un fond de mousse, se heurtant aux mille caprices du roc et baignant toute une famille de végétations amphibies — le 23 août de Nolay à Epinac, d'Epinac à Sully, de Sully à Autun (36 kil). Cathédrale St Lazare — chapiteaux d'une hauteur illisible, l'antiquité romaine dans ce qu'elle a de moins beau (¹⁰) — Tour des Ursulines célèbre par la Défense que dix Autunoises en compagnie de leurs maris opposèrent aux couleuvrines du duc d'Aumont (¹¹). Ancienne maison Edouard Jouard (¹²) — Les ruisseaux sentent mauvais, les femmes sont jolies — 26 août, visite au château de Monthelon habité par la célèbre baronne de Chantal (¹³). 27. D'Autun à Couches. Départ à cinq heures du matin. Un essai matinal encore malheureux — Devise du Château à Couches : J'ay le corps délié ; hommage rendu à la fine taille des dames de Montaigu (¹⁴) — 29 août, de Couches à Chalons. Hotel du Parc — Visite à l'Eglise Notre-Dame, la pièce la plus remarquable est une affiche du patriote d'avril 48 dans laquelle

(⁷) Les sœurs hospitalières de Sainte-Marthe, par référence aux sœurs de l'hôpital de Valenciennes, portaient une sorte de hennin de batiste rappelant leur origine flamande.

(⁸) Le château de La Rochepot, du xiv⁰ siècle, comprend une seule tour d'époque.

(⁹) A 6 km de La Rochepot se trouve la faille du Cul-de-Menevaux, dans un endroit isolé et sauvage.

(¹⁰) La cathédrale Saint-Lazare, construite de 1120 à 1132 et enveloppée d'un revêtement gothique au xvi⁰ siècle. Les chapiteaux placés sur les pilastres de la grande nef représentent des scènes de l'Ancien et du Nouveau Testament. L' « antiquité romaine » évoque les vestiges d'un grand théâtre et d'une enceinte.

(¹¹) La tour des Ursulines constitue le seul vestige du château de Riveau (xii⁰ siècle). En 1591, le maréchal d'Aumont, général de l'armée de Henri IV, assiégea Autun qui avait embrassé le parti de la Ligue. La farouche résistance des Autunois, retranchés dans la forteresse, l'obligea en effet à lever le siège au bout de trente-quatre jours.

(¹²) Une ruine porte le nom de tour de Jouard, vestige d'un « palais » appartenant à un riche bourgeois d'Autun.

(¹³) Sainte Jeanne de Chantal (1572-1641) résida au château de Monthelon, construit au xv⁰ siècle, de 1602 à 1609. Elle y reçut souvent saint François de Sales, son maître spirituel. Veuve très jeune, la baronne de Chantal devint la supérieure du premier monastère de l'ordre de la Visitation fondé à Annecy par saint François.

(¹⁴) Le château de Couches-les-Mines reconstruit au xix⁰ siècle n'a conservé qu'une chapelle du xv⁰ siècle, où figure la devise de Claude de Montaigu, enfermée dans une cordelière : « J'ay le corps délié. » L'édifice appartint à la famille de Montaigu depuis 1280.

Mr de Lamartine déclare qu'il existe une parfaite harmonie de sentiments entre lui et Mr Ledru Rollin et qu'il désire très énergiquement pour le bien du pays la nomination de son collègue dans le département — Voir l'errata de cette opinion dans les colonnes du Conseiller du peuple ([15]). 31 août de Chalons a Tournus sur le bateau à vapeur. Une ex-beauté semble faire des avances à Jules pendant qu'un gros curé offre l'hospitalité de Chapaize à Edmond — Dîner et soirée en communauté avec un Allemand. Cet ancien habitant de Constance nous raconte que la chope germanique était la flûte dans laquelle le président actuel de la république dégustait largement le champagne ([16]) — Profusion de coiffures — Chapeaux minuscules en feutre ou en crêpe empanachés de rubans et de dentelles rappelant le puff de la Duègne castillane ([17]) (2/7bre) de Tournus aux ruines du château de Brancion. Magnifique orage sous nos pieds. La vallée enveloppée de nuages cendrés que déchirent des lames de feu. — D'autre abri contre les grêlons noisettes qu'une baie de porte — 3/7bre de Brancion à Collanges — 4/7bre de Collanges à Chapaize — Visite au curé du bateau à vapeur — Accueil plein de cordialité — Nos sacs sont enlevés de l'auberge et nous sommes forcés d'accepter deux charmantes petites chambres. Notre hôte nous conduit au château d'Uxelles où M^r et Mme la Chapelle accueillent nos blouses avec beaucoup d'amabilité. De retour, un dîner succulent assaisonné de Pouilly 1ere ; Mr Soray ([18]) nous fait d'une manière charmante les honneurs de son petit domaine artistique et campagnard, il nous montre ses roses, ses fruits, ses lapins, ses livres, ses daguerréo-types, ses dessins, ses vitraux — Nous nous oublions assez tard au milieu d'un monceau de publi-

---

([15]) L'Assemblée constituante élue le 23 avril 1848 devant désigner une nouvelle commission exécutive aurait voulu que cette dernière ne comprît que des éléments modérés, en écartant les démocrates comme Ledru-Rollin ou les socialistes comme Albert. Lamartine, par solidarité avec son ancien collègue du gouvernement provisoire, déclara qu'il n'accepterait d'être élu qu'avec Ledru-Rollin. Tous les deux furent élus, mais en obtenant beaucoup moins de voix que les trois autres membres, Arago, Garnier-Pagès et Marie.

LAMARTINE fonda *Le Conseiller du Peuple* en avril 1849. Ce mensuel rédigé entièrement de sa plume dura jusqu'en février 1852. On peut retrouver l'allusion d'Edmond dans le troisième conseil au peuple, *La Crise*, cahier de juin 1849 (pp. 89 à 118) où Lamartine montre qu'il faut « ne pas épurer la république des républicains afin d'éviter un excès de tendance irréfléchi vers l'ordre ».

([16]) Louis-Napoléon Bonaparte a vécu sa jeunesse en Suisse avec sa mère la reine Hortense. Il passait pour un viveur. Un habitant de Constance a ainsi pu le connaître et le voir boire « largement ».

([17]) Edmond emploie ici le mot « puff », bouffée de vent, pour exprimer une moquerie dédaigneuse à l'égard de cette publicité.

([18]) M. Soray, aubergiste à Chapaize.

cations archéologiques et pittoresques — 5/7bre — Triste anniversaire [19]. Mr Soray nous évite l'indifférence d'une messe banale. Il nous retient à déjeuner — Au moment où nous mettons la dernière boucle de nos guêtres, nous le surprenons occupé à remplir notre gourde et à donner à sa carte de Saône-et-Loire le format de nos sacs. Il nous reconduit jusqu'à notre chemin de bon matin — Cluny. Statues pleines de caractère. Au milieu de la chapelle, bas-relief représentant l'ancienne église aussi grande moins dix pieds que St Pierre de Rome. Bibliothèque veuve de ses manuscrits et de ses 44000 vol. Rien qu'une donation de Mr Chaihuat dont un violon — portant le nom et les armes de Charles IX, Stradivarius 1594. L'ancienne abbaye dont il ne reste plus que le croisillon du midi partagée entre l'artillerie et le dépôt d'étalons [20]. La cuisine des canonniers étalant ses fourneaux dans le vaisseau gigantesque du seul clocher encore debout. 9/7bre de Cluny à Charolles. Cariole remorquée par un cheval phtisique que l'automédon galvanise à coups de fouet — Notre compagnon d'infortune est le châtelain de Digoine [21]. Il possède à son château des terres cuites de Clodion qu'il nous invite à venir voir [22] — Au goût des terres cuites il unit celui des pierres fines, il nous confie avoir payé un rubis 22.000, et nous apprenons que c'est à la vente de son père que nous avons vu vendre cet hiver une tasse de Sèvres 2.800F. Le soir nous reprenons nos sacs et gagnons Paray-le-Monial. Visite à la maison des Poupons appartenant a Mr Riballier — Un des plus beaux modèles de la Renaissance parfaitement inconnus à l'église porte byzantine d'un style presque moresque [23] — Explication de la tradition qui rapporte que plusieurs églises du pays ont été sculptées par des artistes maures fuyant la persécution d'Isabelle la Catholique [24] —

[19] L'anniversaire de la mort de leur mère décédée le 5 septembre 1848 (voir L. VI).

[20] La Révolution de 1789 ne laissa subsister de cette abbaye bénédictine que le palais de l'abbé. Cluny renferme également une école normale d'enseignement spécial pour l'artillerie et un dépôt d'étalons.

[21] Le comte de Chabriant, dont il est question plus bas.

[22] Les Goncourt appréciaient beaucoup Clodion. Ils possédaient deux vases et un bas-relief de lui.

[23] La maison des Poupons correspond à l'hôtel de ville baptisé ainsi à une certaine époque en raison des quatre angelots qui ornent la partie supérieure de l'édifice. Cette maison a été construite par M. Jayet de 1525 à 1528 et a appartenu pendant de nombreuses années à la famille Riballier. La décoration et les sculptures rappellent le style byzantin.

[24] Isabelle Ire (1451-1504), reine de Castille, partagea les campagnes de son époux Ferdinand, roi d'Aragon. Contrairement à ce que pense Edmond, elle était très pieuse, mais douce et humaine, et plaida pour la clémence en faveur des Maures ainsi que des Juifs et des Indiens.

10/7ᵇʳᵉ de Paray-le-Monial au Château de Digoine, château Louis XIV — Dimensions royales (²⁵). Mʳ le comte de Chabriant nous fait visiter un très beau parc encadrant une magnifique pièce d'eau, une serre conçue dans l'esprit aérien du jardin d'Hiver, toute riche de la flore indigène et exotique, une salle de spectacle décorée dans le goût de Ciceri (²⁶), or sur blanc mat, écussons des familles alliées aux Chabriant, petit modèle de la salle de spectacle de Versailles, vrai cadre d'un proverbe de Musset — enfin les Clodion décorant la salle de bains pour 25 personnes du baron de Bezenval (²⁷) et dont lord Erfort offrit 65000 (²⁸). Mʳ de Chabriant nous annonce que nous dînons et couchons chez lui. Toilette délicieuse de la jolie Mᵐᵉ de Chabriant. Le petit Jacques, type mutin qu'aimerait à crayonner Vidal (²⁹) — Au sortir de table, plusieurs parties russes — Récits chaudement colorés des temps démocsoc (³⁰) — Détails inédits assaisonnés d'excellents trabucos (³¹) — Engagement de se revoir à Paris. 15/7ᵇʳᵉ. Départ de Paray-le-Monial pour la Clayette — Regrets de laisser derrière nous l'amabilité et l'excellente cuisine de Mᵉ Gouin notre hôtesse — Une lettre d'elle nous procure à la Clayette le spectacle comique de l'empressement d'hôtes qui croient traiter des milords brouillés momentanément avec la chaise de poste — Succession de bonnets charolais que Barenne (³²) devrait parisianiser — 16/7ᵇʳᵉ. De La Clayette à

(²⁵) Le château de Digoine, construit dans la première moitié du xviiⁱᵉ siècle, possède une façade Nord de style fin Louis XIV et une façade Sud de style Louis XVI. L'édifice abrita un théâtre vers 1840.
Voir la lettre de Jules à Louis Passy, datée du 29 septembre 1849, que nous avons donnée en Annexe IV.
(²⁶) Pierre-Charles Ciceri (1782-1868), peintre, a travaillé aux décors de l'Opéra.
(²⁷) Pierre-Victor de Besenval (1722-1792), auteur de *Mémoires* qui constituent un recueil d'anecdotes scandaleuses sur la société française à la fin du xviiⁱᵉ siècle.
(²⁸) Il s'agit en fait de lord Richard Hertford (1800-1870), frère de lord Seymour, attaché d'ambassade, célèbre pour son avarice et ses collections auxquelles les Goncourt font souvent allusion dans le *Journal*. Ce collectionneur possédait ainsi des Clodion (*J.*, t. II, p. 82).
(²⁹) Vincent Vidal (1811-1887), pastelliste, auteur de portraits.
(³⁰) Ces récits concernent les anecdotes plus ou moins croustillantes que se racontaient les conservateurs apeurés pendant cette période agitée du gouvernement provisoire (février-avril 1848) où les républicains, les « démoc.-soc. », étaient au pouvoir avec Ledru-Rollin, Louis Blanc et Albert.
(³¹) « Trabuco » : gros cigare.
(³²) Barenne était un marchand de chapeaux pour femmes. Par un curieux hasard, il paraît avoir suivi le conseil des Goncourt car il lança vers 1855 la mode du chapeau à deux bonjours, c'est-à-dire relevé devant et derrière. Or ce chapeau

Mâcon. Hôtel du Sauvage — Le lendemain l'hôtesse vient s'excuser de nous avoir fait passer la nuit dans une chambre ma foi très convenable et nous fait passer dans un appartement à panneaux de glace et de marbre — Quatre porte-fenêtres nous donnent accès sur un terrain de 45 pieds de long sur dix de large. Cherche la cause de ces attentions et de ces égards qui se sont répétés presque tout le long de la route, cherche et quand tu auras trouvé tu seras à 100 lieues de la vérité. 18/7bre, de Mâcon à Bourg — Ville puant l'ennui. Soirée de décembre, lit d'auberge — Bilboquet trouverait cette préfectanche odieuse ([33]) — Eglise de Brou — Jube ([34]) ; tombeau de Philibert de Savoie, de Marguerite de Bourbon, de Marguerite d'Autriche, le chef-d'œuvre sans conteste de la sculpture Renaissance — Feuilles de vigne sauvage, feuilles de fraisier, lettres ornées, cordes, nœuds, marguerites, roseaux, variété féérique d'ornementation — Des statuettes d'un fini désespérant viennent animer ce filigrane de marbre — Les quatre sybilles dans leurs atours du 16ème siècle ne peuvent trouver de rivale dans la sculpture miniature d'aucun temps — 21/7bre. Dessin dans l'Eglise depuis le matin jusqu'à six heures du soir ([35]). Départ pour Mâcon — 34 kil. huit lieues et demie en cinq heures 5 minutes, les voitures mettent quatre à onze heures, un bon souper rompt l'abstinence de la journée — 22/7bre. Une marchande de rococo nous introduit chez une antiquaire, famille qui nous montre avec orgueil une souricière du 15ème siècle. Dispositions du jeune Lafleur dressé par sa mère à l'appréciation et à l'ouvrage des guipures de devant d'autel pendant qu'il sert la messe — 24/7bre Dessin d'une maison de Mâcon où s'étale largement le sans-pudeur du bon vieux temps. — Lyon. 25/7bre — Hôtel des ambassadeurs — Quatre jours employés à visiter les Musées, les Eglises, les vieilles maisons — Vienne. 30/7bre — 1er 8/^{bre}. Une voiture nous conduit jusqu'à la Cote st André — Le français s'arrête brusquement au marche pied de notre coucou et sans transition nos compatriotes femelles de l'Isère nous servent un idiome aussi inintelligible pour nous que le mosco-

s'inspirait justement du bonnet de la région de Bourg-en-Bresse. Manet a souvent peint son modèle Nina de Callias revêtu de cette coiffe de type folklorique qui bénéficia d'un grand succès par la suite.

([33]) Bilboquet, le vieux paradiste intrépide des *Saltimbanques*, comédie de DUMERSAN et VARIN.

([34]) L'église de Brou, construite de 1513 à 1532, est réputée pour la richesse ornementale de ses tombeaux, son jubé et son rétable dans le style gothique flamboyant.

([35]) Voir la lettre de Jules à Louis Passy, datée du 29 septembre 1849, que nous avons donnée en Annexe, p. 120 (A).

vite, a dit Racine [36]. Ronflement assourdissant de l'r accompagné
de salves de jurons — Une grosse maman toute hérissée de pecaire,
troun, de nom de gueux, hélant les passants, beuglant contre Simon
le conducteur, faisant la police de la voiture à coups de poing
conduit à la Côte sa jeune demoiselle qui scande déjà le foutre avec
toute la rondeur d'un cocher de fiacre. 2, de St André à Rives
— 3/8bre, de Rives à Grenoble — Le plus remarquable musée que
nous ayons encore vu en province — 5/8bre de Grenoble à Voreppe —
6/8bre, de Voreppe à la Grande Chartreuse [37] — Vallée de Tullins
que Chateaubriand met au-dessus des plus belles vallées des
Pyrénées [38]. Offre de mulets courageusement repoussée — Torrent
de Guiersmort. Une scierie couleur de suie, aux aqueducs de sapin,
assise dans le torrent, reliée à la roche par un pont qui sert de cadre
à un pilotis de bois où se brise une cascade, s'enlève de la manière la
plus tranchée sur les bleuâtres découpures de deux roches les portes
du Désert [39] — Mugissement continu du torrent brisé par le susurrement argentin de mille cascatelles bondissant de tous cotés —
Une jeune miss croquant le site à dos de mulet, 150 pas plus loin
une seconde miss, 150 pas plus loin une troisième flanquée d'un
père et d'une mère à l'aspect désolé. Seconde porte du désert

[36] Dans une lettre à La Fontaine, écrite à Uzès le 11 novembre 1661, RACINE
écrit : « J'avais commencé à Lyon à ne plus guère entendre le langage du pays,
et à n'être plus intelligible moi-même. Le malheur s'accrut à Valence, et Dieu
voulut qu'ayant demandé à une autre servante un pot de chambre, elle mit un
réchaud sous mon lit. Vous pouvez vous imaginer les suites de cette maudite
aventure, et ce qui peut arriver à un homme endormi qui se sert d'un réchaud
dans ses nécessités de nuit. Mais c'est encore bien pis en ce pays. Je vous jure que
j'ai autant besoin d'interprète, qu'un Moscovite en avait besoin dans Paris »
(cf. les *Œuvres complètes* de RACINE, coll. de la Pléiade, Paris, 1952, t. II,
p. 401-402).

[37] Voir la lettre de Jules à Louis Passy que nous avons donnée en
Annexe (B).

[38] Cette « belle et incomparable » vallée de Tullins et non Thulins comme
l'a écrit incorrectement Edmond, a été célébrée non par Chateaubriand mais
par STENDHAL dans les *Mémoires d'un touriste* (1838) où, après une longue description, l'auteur enthousiasmé conclut : « Il n'y a peut-être pas une vallée autre
au monde aussi belle que celle-ci » (Ed. du Divan, 1929, t. II, p. 386).

[39] Saint Bruno édifia le couvent de la Grande-Chartreuse en 1134. On pouvait
y accéder par la Route du Désert, créée en 1520 par les chartreux. Jusqu'en 1894,
date à laquelle la route fut élargie, l'excursion demeurait difficile. Il fallait
emprunter un étroit chemin rocheux en longeant la rive gauche du Guiers-mort.
Le Guiers est un torrent formé de deux bras, le Guiers-vif et le Guiers-mort,
coulant plus lentement et suivant la gorge du Désert. Les « portes du Désert »
se situent 1 kilomètre et demi en amont du pont Pérant. Le chemin, qui domine
le Guiers d'une trentaine de mètres, doit passer entre la falaise et le pic de l'Œillette.
Un petit fortin fut construit à cet endroit en 1543 pour protéger l'accès du Désert.

a / Vieille maison à Mâcon, par Jules

b / La porte Bab-Azoun à Alger, par Jules

L'écriture des deux frères

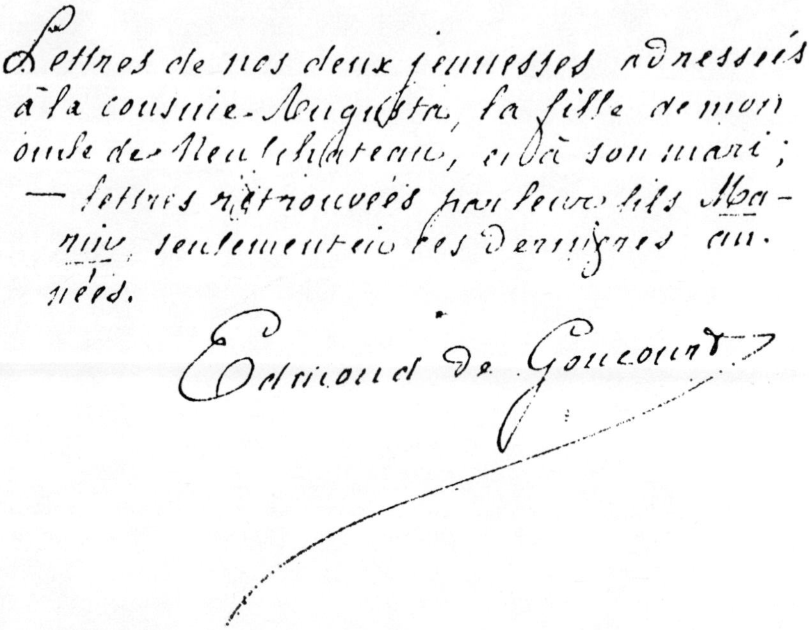
Lettres de nos deux jeunesses adressées à la cousine Augusta, la fille de mon oncle de Neufchâteau, et à son mari; — lettres retrouvées par leur fils Marin, seulement en ces dernières années.

Edmond de Goncourt

a / Edmond de Goncourt
Note liminaire à la Correspondance

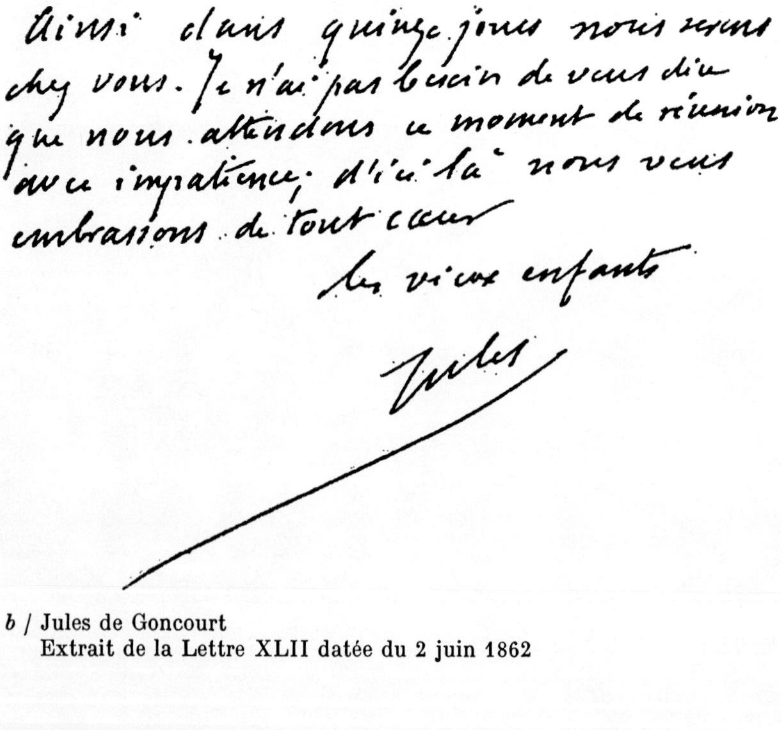
Ainsi dans quinze jours nous serons chez vous. Je n'ai pas besoin de vous dire que nous attendons ce moment de réunion avec impatience; d'ici là nous vous embrassons de tout cœur

Les vieux enfants

Jules

b / Jules de Goncourt
Extrait de la Lettre XLII datée du 2 juin 1862

fortifiée en 1720 contre la menace d'une attaque de Mandrin ([40]) — Toujours le bruit assourdissant du torrent qui vous jette dans une contemplation veuve d'idées — Clochettes des mulets chargés de charbon, frôlement des troncs d'arbres attelés de bœufs. — Marches d'escaliers ébauchées par les filtrations de l'eau — Végétation des temps primitifs. Gigantesques sapins dallant des lits de torrents creusés par l'avalanche dernière — Le torrent s'éloigne, la lumière s'éteint et des voûtes où le rossignol ne chanta jamais s'ouvrent à nos pas, mornes et silencieuses. — Immense agglomération de bâtiments aux toits aigus entièrement ardoisés — Drelin Drelin — Un magnifique crâne encadré dans un capuchon de laine nous ouvre, c'est le frère portier. Il nous offre dans sa loge deux petits verres de Chartreuse 2ème ([41]) — Et de 20 centimes — Le roi des hazards nous amène à la Chartreuse le jour de St Bruno ([42]). De frères point au 1er, 2ème, 3ème coup de sonnette — Le frère portier nous dépose sans le moindre renseignement in camera provinciarum franciae ([43]) — Immense réfectoire — Des fenêtres à chassis de plomb laissent filtrer un jour sépulcral — Des tables, de l'eau et de la liqueur de la Grande Chartreuse — Nous voudrions presque nous en aller — Un garçon laïque à rôle d'idiot paraît enfin nous assigner les cellules C et B et disparaît — Et le souper — Nous promenons notre appétit dans la cour — Rencontre inesperée d'un ecclésiastique que nous avions vu à Grenoble — Circumnavigation autour du monastère — Détails sur la vie de nos hôtes, pas de linge, un cilice, jeûne de huit mois de l'année, les vendredis de l'eau et du pain. — Coucher sur une paillasse à cinq heures. Réveil à dix heures — Oraisons, office, oraisons de dix heures à trois heures du matin. Reprise des oraisons à cinq heures. Un spaciement de trois heures par semaine ([44]), les détails de la boutique ([45]) ont fait aux

---

([40]) En 1715, on construisit un peu plus haut une nouvelle porte : la porte de la Jarjatte, à l'entrée du chemin des voûtes.
En 1750, on répara le fortin de l'Œillette au temps des incursions du fameux brigand Mandrin (1725-1755), sur le bruit qu'il avait formé le dessein de piller le monastère.

([41]) Il s'agit de la chartreuse jaune (43o), plus douce que la chartreuse verte (55o).

([42]) Saint Bruno (1030-1101), fondateur de la Grande-Chartreuse (voir n. 39), est fêté le 6 octobre.

([43]) Chambres réservées aux pèlerins de passage.

([44]) Le spaciement est une promenade hebdomadaire qui s'effectue en dehors du monastère.

([45]) « Les détails de la boutique (liqueur et spécifique ; on parle d'un débit de 1,200,000 par an)... », explique une note d'Edmond (n. 2) à la lettre de Jules à Louis Passy que nous avons donnée en Annexe, p. 120 (B).

disciples de St Bruno, de la Communion perpétuelle avec la nature, une promenade de collégiens. 10 ans de noviciat — Nous apprenons que les touristes femelles que nous avons rencontrées sont Anglaises et que de dépit de voir leur sexe exclu du monastère elles ont refusé repos et nourriture à l'hôtellerie féminine, et sont reparties maudissant le peu de galanterie de St Bruno. De la camera d'Italie réservée aux ecclésiastiques, le souper nous rappelle en France — Souper des Chartreux : friture de pâtes et de poissons — De concert avec un voyageur qui descend du Grand-Som ([46]), nous attendons autour d'un feu de Noël l'office de nuit — A onze heures, dans l'Eglise complètement obscurée, une procession de lanternes nous annonce l'arrivée des frères, les frères ont déjà garni de leurs statues de marbre blanc les stalles du porche de l'Eglise — Psalmodie nasillarde des psaumes avec éclipses de lanternes — Mise en scène au-dessous de sa réputation — Nous regagnons nos cellules — Parmi les signatures qui les paraphent, nous lisons celle ci : Julie. 7/8bre. Visite de la maison à 6 heures — A déjeuner le frère garçon ? Le frère cuisinier est à la messe ; nous nous résignons à grignoter les reliefs du dîner de la veille arrosés de force petits verres et nous demandons l'addition — Le compte de deux messieurs de France se monte à 5 francs. Il y a deux ans l'hospitalité était taxée à 30 sous par jour — Le registre historique est un canard — Une table et une porte nous prêtent leurs pages de bois sur la table nous écrivons :

> Ce sombre et beau tableau dont l'éloquence austère
> Et la grande tristesse exhorte au grand adieu
> Ces rocs, ces bois ; voilà votre évangile, frère.
> Il est signé de Dieu.

Sur la porte.

Distillerie en grand de la liqueur et du suicide. Et nous partons. Une trombe de pluie nous pousse jusqu'à St Laurent où nous retrouvons la bonne cuisine et les excellents lits de l'hôtel des voyageurs. En faisant nos couvertures la bonne nous apprend que jeudi dernier une femme costumée en homme a trompé la surveillance du frère Cerbère et a passé la nuit dans la Ste Maison — Est-ce Julie ? Ce doit être Julie — Quelques exemples de pareilles introïtions balancés par quelques exemples d'expulsions brutales. Le 9/8bre, nous sommes de retour de Grenoble où une pluie intense nous empêche de faire à pied les dernières 25 lieues de nos deux cents car nous sommes déjà riches de 700 kilom. 11/8bre, Valence — 12/8bre, de Valence à

([46]) Le Grand-Som, 2 033 m, pic culminant du massif de la Grande-Chartreuse.

Avignon par le bateau à vapeur. Avignon, Hôtel de l'Europe. — Le Rocher des Doms — Des rampes appliquées à ses flancs conduisent à une esplanade où l'œil embrasse le fleuve sillonné de vapeurs, la nappe de verdure déployée sur ses bords, la ville à semis de tours de clochers, de tourillons, serrée dans sa gigantesque ceinture de fortifications du 14ème siècle (47). Ce sont les Alpes du Dauphiné, les montagnes du Vaucluse, les sommets du Luberon, la chaîne dentelée des Alpilles, les hauteurs boisées du St Rigolet — des Issards des Angles, et les vieilles constructions oranges de Villeneuve qui forment les lointains de ce panorama... Château des papes, Villeneuve les Avignon... d'Avignon nous gagnons à pied Tarascon par un paysage emprunté à la banlieue de Paris, mise à mort d'un énorme scorpion. Séjour à Tarascon et à Beaucaire, enfin Nîmes toute riche de monuments romains, Nîmes d'où j'ai l'honneur de t'écrire, la fin de l'itinéraire serait : Montpellier, Aigues-mortes, Arles, Marseille, Alger, Constantine, Paris du 18 au 20/Xbre. Je te dirai ma chère Augusta, qu'à part les monuments et le paysage tout à fait hors ligne, je ne suis pas très enchanté du beau midi de la France ; d'abord un patois qui fait des Parisiens des étrangers voyageant en France, ensuite des hôtels qui sous le fracas du nom et des prétentions ne valent pas ceux de la Côte d'Or et de Saône-et-Loire, enfin des cousins, cette plainte a l'air risible, mais en vérité les cousins dans le midi c'est une véritable maladie, tout le corps de Jules est une plaie et les méridionaux ont bien raison de faire de leur pays un paradis...... sans les moucherons ; mais je m'aperçois ici que je vais vraiment te ruiner (48) et je termine en t'embrassant toi ton mari, ma cousine et le jeune Abillon, et en comptant bien vous raconter nos aventures cet hiver. Je pense que la prolongation du congé de mon oncle vous a amené à Neufchâteau et que la jeune cousine s'est amusée.

Edmond de Goncourt

Bien des choses à Melle Julie puisque tu es si paresseuse, et obtiens de ton mari qu'il me donne de vos nouvelles à Marseille.

---

(47) La cathédrale Notre-Dame des Doms fut rebâtie par Charlemagne sur le rocher des Doms. Pendant son séjour à Avignon, le Saint-Siège fit élever des fortifications de 1309 à 1377.

(48) Les premiers timbres, du type Cérès, furent mis en circulation le 1er janvier 1849. L'ancien système subsista cependant jusqu'en 1851 parallèlement au nouveau ; c'était alors au destinataire à payer le port selon le poids de la lettre. Augusta avait donc une bonne taxe à payer étant donné l'épaisseur de la missive d'Edmond.

XIII

Alger ce 5 Décembre 49 ([1])

MON CHER COUSIN

Après une traversée où nous avons fait l'admiration de l'équipage, le sept Novembre à cinq heures du matin, la côte d'Afrique est sortie de la brume. A six, un triangle de neige s'est illuminé aux premiers feux du soleil ([2]). — Envahissement du vapeur par une horde de portefaix Algériens et Mores qui s'excitent au transbordement des malles à grand renfort de sons gutturaux. Hôtel de l'Europe, rue de la Marine. Parcours des rues Babazoun et Babel-Oued, rues animées par la bigarrure étrange, pittoresque, éblouissante, d'une Babel du costume. L'Arabe drapé dans son burnous blanc, la Juive à la sarma pyramidale ([3]) ; au pectoral d'orfèvrerie, la moresque fantôme blanc aux yeux étincelants, le nègre avec son madras jaune et sa fouta rayée ([4]), le More aux vestes galonnées enfin les enfants Israéliens, Arabes, Mores chamarrés de velours et de dorures. Puis le Mahonnais en chapeau pointu, à pompons noirs, le riche Turc au cafetan étincelant de broderies ; le zouave ; des marins débraillés venus des quatre bouts du monde ; et comme repoussoir à ce dévergondage Oriental des couleurs les plus heurtées et les plus éclatantes, la triste uniformité de nos habits noirs. —
Vendredi 9 Novembre.......... Après dîner nous nous rendons à un café More de la rue de la Girafe. Cave à arceaux éclairée par la lueur de quatre veilleuses monstres, garnie de fleurs et de bocaux de poissons rouges où un récitatif monotone aigrement accompagné d'une guitare, d'un violon et d'un tambourin, berce dans leur rêverie un public d'Arabes accroupis sur des planches et fumant silencieusement la Chibouck ([5]). Intérieur d'une maison Moresque([6]).

([1]) Ce séjour à Alger est évoqué dans une lettre de Jules à Louis Passy, écrite le 24 novembre 1849. Nous avons donné en annexe un extrait de cette lettre ainsi que le début de leurs *Notes au crayon* parues dans *L'Eclair* qui correspondent au premier paragraphe de notre lettre, p. 122 (C et D).

([2]) La ville s'étend en formant un triangle dont la base est la mer et le sommet la citadelle ou kasbah.

([3]) La sarma est une coiffure cônique rigide ; tout à fait analogue au hennin médiéval.

([4]) « Fouta » : grande serviette utilisée d'habitude dans les hammams et qui se porte comme un pagne.

([5]) « Chibouck » : grande pipe turque.

([6]) On comparera ce passage avec l'extrait des *Notes au crayon* que nous avons donné en annexe (E).

Une négresse emmaillotée dans une grande toile bleue nous apporte el kaouah (le café). Assis les jambes croisées sur un tapis de Smyrne, nous prenons dans des tasses de figuier ([7]) le café sans sucre et accompagné de son marc. Les honneurs nous sont faits par trois jeunes Moresques à yeux de gazelle. Contours délicats trahis par une gaze indiscrète. Faitucha, gracieuse enfant de treize ans.

Promenade par la ville, la lune éclaire fantastiquement les blanches façades. Le lointain bourdonnement du muezzin trouble seul le silence des rues désertes et de temps en temps quelque Arabe fait saillir, dans les larges ombres projetées par les voûtes, la lueur rougeâtre de sa lanterne en papier.

.... 21 Novembre ; matinée destinée à relever les différents motifs d'ornementation des portes Moresques en général très décorées. Déjeuner. Journée entière d'investigations dans la haute ville. Six heures d'enthousiasme artistique devant le défilé continu des mille costumes Algériens, devant la succession de ces ruelles à échelons de pierre plongeant sous vos pieds ou se dressant au-dessus de vos têtes. 497 degrés d'un mètre d'élévation graduent la rue de la Casbah. Des maisons blanchies de chaux vive s'étayant par des poutres jetées en travers de la rue font ressauter leur premier étage d'une forêt d'arcs-boutants et soudant leur terrasse l'une à l'autre ne laissent glisser que quelques rares infiltrations de soleil. L'intelligente architecture qui dans le moment où la chaleur incendie la campagne et rend désert le quartier d'Isly fait de frais passages de tous ces couloirs. Quelques gracieuses fontaines encadrées dans de légères colonnettes à fond de mosaïque. Un placage de tuiles vernisées aux savantes combinaisons linéaires détache ses arabesques bleues, jaunes, vertes, d'un encastrement de murailles blanches. Débarbouillement in extenso d'un More qui a choisi l'une d'elles pour cabinet de toilette. — A côté du biskri ([8]) sans prétention, dont tout le costume est une chemise rayée de mille couleurs, à côté du burnous crasseux de l'Arabe, le costume More se fait remarquer par sa variété, sa propreté et sa coquetterie. Une écharpe à raies jaunes s'enroule autour d'une calotte rouge, une veste, merveille de passementerie, deux gilets dont le dernier se boutonne et fait plastron ; l'écharpe de soie comprimant les plis bouffants du haut de chausses ; des babouches. Les dandys ont fait choix de la couleur écarlate pour la veste, les gilets et la ceinture, le haut-de-chausse. Malheureusement l'emprunt fait à la bonneterie

---

([7]) Ces tasses sont creusées dans des feuilles de figuier séchées.
([8]) Le biskri est un habitant de Biskra, ville du Sud algérien.

Française de ses bas bleus vient déparer ce riche costume. — Délicieux groupes de bambins. Que d'intelligence dans ces beaux yeux, que de finesse dans les arêtes du visage, que d'aristocratie dans les traits. Quelques-uns de ces Chérubins (⁹), une corbeille de jasmin sur la tête, vont de porte en porte fleurir les Rosines Moresques pressées de les décharger de leur fardeau parfumé. Revue générale de toutes les beautés en a encore inexplorées (¹⁰) : Fatma, Aïcha, Minah, Zora, Ertucha. Toujours des yeux de la plus belle eau, mais quelquefois des lèvres mozambiques et des nez camards. Quelquefois des dents malheureuses ; bien souvent des jambes poteaux, des pieds d'Allemande, et des gorges réclamant un tuteur. A ces défauts naturels à la race, la coquetterie de l'endroit a su ajouter des enlaidissements raffinés. Toutes ont les ongles noircis par le hennah ou rougis par le sarcoun (¹¹). Quelques-unes non contentes de se relier les sourcils par une voile se les rasent complètement et les remplacent par un arc charbonné. Mais le costume vient amnistier tout cela : Les mouchoirs de Tunis sont enroulés si coquettement sur la tête, les chemises de tulle brodées si joliment passementées de rubans, les vestes sont si richement feuillagées d'or, les tuniques si richement chamarrées, les foutas étincellent si ardemment, la babouche de Constantinople est si charmante, l'aspect général est si gracieux ; si magnifique, si réjouissant que.....

Je pense, mon cher cousin, que ce bulletin africain t'intéressera. Au reste notre départ est fixé pour le 10 (¹²). et nous aurons tout le loisir de te raconter tout au long nos impressions algériennes si comme ta femme nous l'a écrit, et comme nous l'espérons bien, tu viens passer le mois de Janvier à Paris.

Nous avons reçu au commencement du mois dernier une lettre de Foissey (¹³) qui, présentant des offres magnifiques que lui ferait un propriétaire, nous demande au remballlement de prendre notre

---

(⁹) Jules appréciait particulièrement ce personnage du *Mariage de Figaro* de Beaumarchais (cf. *J.*, t. V, p. 132).

(¹⁰) Tout le paragraphe qui suit (de « Revue générale » à « si réjouissant que... ») est identique à un passage paru dans les *Notes au crayon* (*L'Eclair*, juin 1852, p. 211). Un seul changement : dans l'hebdomadaire, Jules a écrit « foutahs » au lieu de « foutas ».

(¹¹) Le « hennah » ou henné et le « sarcoun » ou salqun sont des poudres colorantes respectivement rouge et noire utilisées pour les cheveux, les paupières, les doigts, les lèvres.

(¹²) Dans une lettre à Louis Passy datée du 24 novembre 1849, Jules précise : « Nous partons d'ici le 10 décembre. Nous serons le 17 à Paris » (*Lettres de Jules de Goncourt*, p. 33).

(¹³) Jean-Baptiste Foissey, fermier des Gouttes-Basses ayant succédé à son beau-frère Antoine Semard.

ferme tout entière. Nous lui avons répondu que nous allions prendre du temps pour répondre à une proposition aussi importante. Nous aurions envie, comme tu le peux penser de n'avoir qu'un fermier et un fermier sûr. D'un autre côté, nous avons l'intention de reprendre à notre charge les grosses réparations, et de mettre la ferme à cinq mille francs. Ainsi à la fin du bail elle n'aurait pas été augmentée depuis dix huit ans. Quel est ton avis ? Nous te serions bien obligés si Chapied ([14]) n'a pas encore fait sa tournée de lui écrire de vendre nos pairs ([15]) de Breuvannes et seulement d'en payer les contributions, nous en tiendrons compte à mon oncle. Si sa tournée était faite, dis-nous-le. Enfin aurais-tu la bonté de nous apprendre l'adresse de Mr Dumanoir ([16]) à Paris ? Nous ne voulons pas récidiver. Adresse-nous ta réponse maintenant. Elle nous atteindra. Nous t'aurons grande obligation d'une réponse à ces trois points : tu sais notre adresse : Rue de la ferme des Mathurins, 18.

J'ai à peine la place de t'embrasser toi ta femme et tes enfants.

                              ton cousin affectionné ([17]).

([14]) Voir L. II, n. 6.
([15]) Le « pair » est ici un terme commercial. Il s'agit de la parité entre le capital d'une rente et le prix vénal de celle-ci à un moment donné.
([16]) Voir L. X, n. 12.
([17]) Lettre écrite par Jules.

XIV

                              Paris ce 5 Janvier 1850.

Si tu n'as pas encore reçu de nos nouvelles depuis notre retour d'Alger, mon cher Léonidas, n'attribue ce silence ni à la paresse, ni à l'indifférence. Trois jours après notre retour à Paris qui s'est effectué le 16 du mois dernier, Edmond est tombé malade ([1]). Depuis ce temps il garde le lit. Une vive irritation d'entrailles qui s'est étendue à l'estomac a été toujours en croissant malgré les remèdes et le médecin. Aujourd'hui son état semble un peu s'améliorer ; mais il faut encore bien des soins, bien des ménagements,

([1]) Edmond rapporta de son voyage en Algérie une dysenterie qui le tortura pendant deux ans.

bien de la patience pour le remettre de cette violente et douloureuse secousse. Ajoute, mon cher Léonidas, aux ennuis inséparables d'une maladie, l'ennui d'être forcés absolument de déménager le 10 (²), de transporter Edmond dans quelqu'état qu'il soit ; et tu comprendras dans quelle tristesse nous avons passé ces derniers quinze jours ! J'espère que ni toi ni les tiens n'êtes éprouvés de ce côté ; quoique mon oncle (³) m'ait dit que tu avais été un mois souffrant chez lui je pense bien, d'après ton silence à cet égard, que tu es complètement remis. Je crois que le meilleur souhait de jour de l'an qu'on puisse faire, c'est celui de la santé. Je le fais du meilleur de mon cœur pour toi et les tiens. Je te souhaite encore le moins de tracas possible ; car hélas ! la vie n'en admet pas l'absence complète ; et je forme des vœux tant pour toi que pour nous, afin que cette troisième année de la République soit moins féconde en déboires, tourments, inquiétudes et rappels que ses deux sœurs aînées de démocratique mémoire ! Au reste si vos projets ne sont pas changés, ne devez-vous pas venir ce mois-ci à Paris ? Nous serons bien plus heureux de vous témoigner tous ces vœux de vive voix. J'aime à penser que cette année nul malade ne vous retiendra à Bar-sur-Seine, et que je pourrai faire voir à Marin l'éléphant du jardin des plantes. Voilà deux fois que je tente de trouver le représentant (⁴) ; je n'ai point encore réussi. Il m'aurait sans doute renseigné sur vos dispositions pour l'hiver. Au reste il se porte parfaitement ; je l'ai vu à dîner chez mon oncle Jules (⁵) ; mais je n'ai pas eu le temps de causer avec lui.

Je te remercie de ce que tu nous as écrit relativement à notre remballement. Nous avons écrit à Foissey (⁶) pour avoir la copie de notre bail ; et à Bardot pour qu'il nous renseignât sur l'état de notre procès.

Mon rôle de garde-malade me force d'écourter ma lettre, mon cher Léonidas. Je te prie d'embrasser pour moi ta femme et tes enfants, et de me rappeler au souvenir de Mᵉˡˡᵉ Ponchard. Pour toi je te donne une cordiale poignée de main

tout à toi

Jules

(²) Ils quittèrent le 22, rue Simon, pour s'installer au 43, rue Saint-Georges.

(³) L'oncle Pierre-Antoine-Victor (voir L. I, n. 4).

(⁴) L'oncle Pierre-Antoine-Victor (voir L. III, n. 8).

(⁵) L'oncle Jules Lebas de Courmont (voir L. VII, n. 9).

(⁶) Foissey était leur fermier des Gouttes-Basses (voir L. XIII, n. 13) ; Mᵉ Bardot était un avoué de Breuvannes chargé de défendre les intérêts des Goncourt à la suite de l'héritage de leur mère.

P.S. — Voici notre nouvelle adresse
    Rue St Georges, 43.

Nous te serions obligés de nous donner celle des Dumanoir ([7]) aussitôt que tu la sauras.

Je suis en pourparlers pour t'avoir une lettre de Béranger ([8]), et j'espère parvenir à mener à bonne fin cette négociation autographique. Aussitôt que je l'aurai, je te la ferai parvenir.

Nous avons rapporté pour ta femme et ta fille des foulards de Tunis que nous mettons à leur disposition.

([7]) Voir L. X, n. 12.
([8]) Léonidas désirait une lettre de Béranger pour truffer sans doute une édition de cet auteur qu'il affectionnait (voir L. II, n. 6).

XV

Samedi 24 mai 1851.

Il faut convenir, mon cher Léonidas, qu'on est bien malheureux d'être complaisant, surtout lorsque la chose est ébruitée. Le diable m'emporte ! si tu ne fais pas cette réflexion, les pieds sur tes chenets, par habitude d'hiver, dans ta bibliothèque, en face de ton grand pin, ta femme à côté de toi, et m[r] Marin tourmentant sa sœur sur tes genoux ! — Voilà quelques mois déjà que sur ta mauvaise réputation, nous usons de toi, à en abuser. Ces mille ennuis, ces casse-têtes d'additions et de polémique rurale qu'on a tant de peine déjà à subir pour soi-même, tu as bien voulu les endosser pour nous ; pour nous, qui sommes encore à nous demander le service que nous t'avons rendu, et à chercher celui que nous pourrions te rendre ! — Enfin, chacun a son heure a dit je ne sais plus quel fataliste oriental ; espérons que la nôtre viendra. Te remercier est bien banal ; c'est presqu'une formule ! Mais que veux-tu, c'est notre seule monnaie pour l'instant ; et nous te remercions de tout cœur, mon cher cousin, pour tout le mal que tu t'es donné, pour toute l'énergie et toutes les idées que tu as dépensées, pour la séance de neuf heures que tu as consacrée aux interpellations des fermiers, pour les 380 fr. enfin dont tu as arrondi nos revenus ([1]).

([1]) Ces revenus proviennent de Flammarion et Semard, leurs fermiers des Gouttes-Basses.

Nous nous rendons, comme tu le penses bien, à toutes les raisons que tu nous donnes, et qui nous semblent comme à toi (les fermiers n'écoutent pas ?) très bonnes ; nous trouvons, entre nous, qu'il est fort beau, en l'an de grâce 1851, lorsque demain promet l'inconnu, que toutes les transactions bronchent, que tous les delaissements (²) ont peur ; qu'on est un peu comme en l'an 1000, où tout le monde craignait la fin du monde, et que tous les capitaux grands ou petits, redoutent la mort du crédit, nous trouvons fort beau, dis-je, d'augmenter.

Ainsi donc nous écrivons ce soir à m^r Semard(³) d'accepter les conditions de nos fermiers à 4.700. Seulement, comme nous voulons conserver la chance de louer à 100 fr. de plus, c'est-à-dire à 4.800, nous le prions de demander cette somme aux fermiers, et de faire semblant de vouloir afficher ; puis s'ils se tiennent à 4,700. au bout de huit jours de conclusion à ces conditions.

Grand merci des souhaits que tu formes pour nos plaisirs aux eaux ; mais malheureusement il y a à rabattre. Nous allons pour remettre complètement sur pied les entrailles d'Edmond qui du reste vont infiniment mieux, dans des eaux *sérieuses*, comme on pourrait presque dire, à cinq mille pieds au-dessus du niveau de la mer, et selon le guide, très peu gaies, et encore moins confortables (⁴). D'après ce que nous dit le livret Cicérone (⁵), c'est un fort bel endroit, si beau que cela en est triste et des eaux si salutaires, qu'il y a peu de monde. Enfin, quoiqu'il en soit, il est toujours agréable de dire aux enfants qu'on peut avoir plus tard, qu'on a entendu le ranz des vaches dans les gorges du Gemmi (⁶).

Nous avons vu le représentant (⁷) il y a quelque temps ; il était complètement remis de sa grosse grippe ; et plus vaillant que jamais. Nous espérons que la santé est revenue aussi sous le toit de Bar-sur-Seine ; que pour toi, le temps t'apporte sinon des consolations du moins plus de calme, qu'Augusta gâte toujours et de plus belle, m^r Marin, qui fera, nous le lui promettons, le plus beau méchant

---

(²) Ce terme de jurisprudence désigne l'abandon, par le tiers détenteur, d'un immeuble hypothéqué pour éviter des poursuites.

(³) Antoine Semard cultivait avec son frère Nicolas un lot des Gouttes-Basses.

(⁴) Ils iront à Louèche, dans les montagnes du Valais. Lisant beaucoup, jouant aux dominos, ils y écriront sans hâte leur premier roman *En 18...*

(⁵) *Le Cicerone*, ouvrage de l'historien suisse Jakob BURCKHARDT publié à Bâle en 1855. Conçu comme un guide des trésors artistiques de l'Italie, ce livre est une véritable histoire de l'art depuis la fin de l'Antiquité classique jusqu'à la fin du XVIIIᵉ siècle italien.

(⁶) Montagnes du Valais suisse.

(⁷) L'oncle Pierre-Antoine-Victor (voir L. III, n. 8).

du monde ; et que Melle Mimi exécute et valses et polkas, au contentement de Melle Ponchard.

Adieu, mon cher cousin, nous t'embrassons de tout cœur, toi, ta femme et tes enfants ; rappelle-nous au souvenir de Melle Ponchard,

et crois-nous

tes cousins reconnaissants.

Jules

De la politique, je te dirai que les plus clairvoyants, y voient moins que jamais ; et que c'est un colin-maillard, qui, je le crains, devient de plus en plus un casse-cou. Sur ce, adieu !

XVI

Mercredi
7 heures du soir (¹).

MA CHÈRE AUGUSTA,

N'aie point d'inquiétude sur ton père. Nous avons été le voir hier matin, après l'apposition des affiches du président (²) : Il était sorti : Nous y sommes retournés à dix heures du soir. Il était arrêté. Nous sommes allés à la caserne du quai d'Orsay (³) où il était. Le sergent de ville à qui nous avons demandé si on pouvait voir les représentants arrêtés, nous a répondu négativement. A

(¹) L'arrestation de l'oncle nous permet de dater cette lettre du 3 décembre 1851 ; voir n. 2.

(²) Le 2 décembre 1851, jour anniversaire de la victoire d'Austerlitz, a lieu le coup d'Etat de Louis-Napoléon. Entre 5 et 6 heures du matin, des afficheurs se répandent dans Paris pour placarder les proclamations. La principale, *L'Appel au Peuple*, justifie l'action du président. De 6 à 7 heures, Maupas fait arrêter 78 militants républicains et 16 députés. Vers 11 heures, 300 députés se réunissent dans la mairie du Xe arrondissement (le VIe et le VIIe arrondissement actuel, avant la réforme du 1er janvier 1860) et décrètent que « Louis-Napoléon est déchu de la Présidence de la République ». L'oncle Pierre-Antoine-Victor (cf. L. III, n. 6) et Hippolyte Passy dont il est question plus bas seront emmenés avec les 300 autres représentants, la plupart conservateurs, par le général Ferry. Gardés à la caserne du Quai d'Orsay jusqu'au soir, on les enverra ensuite aux forts du Mont-Valérien. Ils seront relâchés le 5 décembre.

Cette lettre a donc été écrite le 3 décembre, au lendemain de leur arrestation.

(³) Cette caserne était située à l'emplacement de la gare d'Orsay actuelle.

notre demande si on le verrait le lendemain, il nous a répondu qu'*il ne savait pas où ils seraient* (textuel). Ce matin, nous sommes retournés à la caserne. Le factionnaire nous a dit que les représentants n'étaient plus là, qu'on les avait emmenés. Mon ami L. Passy sort de chez nous. Il vient du Mont-Valérien où sont les représentants arrêtés. Il a vu son oncle Hippolyte Passy (⁴), arrêté comme le nôtre, qui lui a dit qu'on devait les relâcher demain. Ainsi demain il est à penser que ton père sera libre.

Figure-toi qu'on a emmené les représentants dans des voitures cellulaires comme des voleurs (⁵).

— On dit que Lyon, Amiens et Rouen sont en insurrection.

— On dit que trois représentants (⁶)

La foule grossit d'heure en heure sur tous les boulevards (⁷).

On dit que la rue Rambuteau est pleine de barricades.

Je ne sais comment tout cela finira.

Je ne t'écris pas autre chose étant sûr qu'on décachete les lettres.

Nous embrassons Léonidas de tout cœur.

Bien des choses à tout le monde.

Jules

(⁴) Sur Louis Passy et son oncle Hippolyte, voir L. I, n. 2. Voici en outre un extrait de l'article concernant ce dernier dans le *Dictionnaire des parlementaires français* de ROBERT, BOURLOTTON et COUGNY (Paris, 1891) :
« Bien que non élu à l'Assemblée constituante, il entra, le 20 décembre 1848, comme ministre des Finances, dans le premier cabinet du prince Louis-Napoléon, présidé par Odilon Barrot... Le 13 mai 1849, il fut élu représentant du peuple à l'Assemblée législative, dans deux départements : dans l'Eure, le 1er sur 9, par 57.854 voix sur 93.065 votants et 125 952 inscrits, et dans la Seine, le 9e sur 28, par 117.138 voix, sur 281.140 votants et 378.043 inscrits. Il opta pour l'Eure, et resta dans le cabinet Odilon Barrot, remanié le 2 juin suivant, jusqu'au 31 octobre. Il appuya le gouvernement présidentiel jusqu'au coup d'Etat de décembre exclusivement. Retiré alors de la vie publique, il se consacra à des travaux économiques. »

(⁵) La brutalité du coup d'Etat avait frappé les esprits. Comme de nombreux autres témoins, Rémusat évoque ainsi dans ses *Mémoires* ces voitures cellulaires qu'il avait lui-même instaurées dans un but plutôt philanthropique en 1840. Lorsque arrêté il en fait connaissance à son tour, il décrit avec des détails piquants l'inconfort de ces voitures.

(⁶) Trois mots sont ici fortement raturés par prudence ; on peut deviner les mots « viennent d'être tués ».

(⁷) Pendant que les représentants conservateurs opposaient vainement une résistance légale, les républicains s'insurgèrent puis dressèrent des barricades dans les faubourgs Saint-Martin et Saint-Denis.

XVII

Samedi — midi ([1]).

MON CHER LÉONIDAS,

Je t'écris. minute pour minute. Nous avons vu ton père ([2]) hier. Il se porte très bien. Voilà l'essentiel. Pour ses sentiments, tu les comprends sans peine.

Si vous voulez venir, et je crois pouvoir vous dire que cela lui ferait grand plaisir, (et à nous aussi par parenthèse) vous le pouvez en toute sûreté : l'insurrection est complètement comprimée à Paris.

Quoi te dire d'autre chose ? Je ne sais. Nous n'avons absolument aucune nouvelle. Et d'ailleurs... tu comprends.

Adieu, adieu
au revoir. Nous vous attendons

Jules

([1]) 6 décembre 1851. Cette lettre concerne la libération de leur oncle. Voir lettre XVI.

([2]) L'oncle Pierre-Antoine-Victor (voir L. I, n. 4) est en fait le beau-père de Léonidas et le père de sa femme Augusta.

XVIII

Mardi — minuit ([1])

MON CHER COUSIN,

Nous te remercions d'abord. Puis nous sommes trop sensibles à tes reproches pour ne pas y répondre. Si l'affaire eût été faite par nous, par nous seuls, nous n'eussions pas hésité à te mettre à

([1]) Cette lettre oblitérée à Paris le 11 janvier 52 porte l'adresse suivante :
Monsieur
Monsieur Léonidas Labille
propriétaire à Bar-sur-Seine
Aube.

contribution. Mais cet *Eclair* (quel titre d'abord !) est fondé par un de nos cousins, qui a les plus baroques idées du monde (²).

Nous ne t'avons pas écrit — non, mon cher Léonidas, parce que nous pensions que tu regarderais à dix francs — mais parce que nous trouvions qu'il était assez d'une personne d'imposé pour une revue qui n'est point faite dans nos idées ni dans notre style. — Le *Bal* en prime est une extravagance qui a valu à notre brave cousin une moquerie ce matin (mais fort douce) dans le Charivari (³) ; certaines apothéoses nous semblent sans raison ; certaines insultes sans goût. Enfin, ce n'est pas une Revue encore une fois selon notre cœur. Ce que tu y trouveras de ridicule, nous le trouvons avant toi.

Mais, nous diras-tu, pourquoi y écrire ? — Pourquoi ? — Pour être édité et lu. Pourvu qu'on étale, qu'importe l'étalage. Cette petite revue va être très répandue. Nous aurons un petit morceau du sceptre du théâtre ; et le public, ce flâneur de public, nous fera plus de réputation avec ces articles de genre, qu'avec notre petit volume consciencieux et travaillé : dix mois de travail, sans compter les nuits (⁴). Ah ! la littérature est une carrière comme une autre, qui veut, je t'assure, de l'activité et de l'énergie comme les autres. Enfin nous avons foi ; nous commençons à percer ; aujourd'hui l'Illustration parle de notre livre (⁵) ; demain

---

(²) Leur cousin Pierre-Charles, comte de VILLEDEUIL, lança le premier numéro de *L'Eclair, revue hebdomadaire de la littérature, des Théâtres et des Arts* le 12 janvier, avec leur collaboration. Il fut le seul à écrire un article élogieux sur leur roman *En 18...* qu'il considère comme un « ouvrage privilégié où chaque détail est un tout parfait, chaque tête un chef-d'œuvre [...]. Qu'il est tenu, délié, grâcié et menu, ce style parfilé comme des brins d'or » (*L'Eclair*, 12 janvier 1852).

(³) *L'Eclair* offrait à ses abonnés d'un an un grand bal printanier, ainsi qu'un album de 72 caricatures par Nadar et 2 lithographies de Gavarni. Le 13 janvier 1852, Louis HUART écrivit cet article moqueur dans *Le Charivari* : « Un philanthrope, le fondateur de *L'Eclair* offre un bal à tous ses abonnés d'un an.

.... Ah ! Ah ! et les abonnés de 6 mois ?
— Ils restent dans l'antichambre et ils auront seulement le droit de voir passer les invités, les rafraîchissements et les pipes.
— Pourquoi ajoutez-vous : Et les pipes ?
— Parce que ce bal sera oriental et qu'en Orient il n'y a pas de bonne fête sans pipes. »

(⁴) Ils avaient rédigé leur roman *En 18...* en grande partie pendant leur cure dans le Valais (voir L. XV).

(⁵) Dans *L'Illustration* du 13 janvier 1852, Edmond TEXIER termine ainsi son article consacré à *En 18...* : « MM. Edmond et Jules de Goncourt sont venus trop tard. Il y a 20 ans leur volume jaune aurait peut-être produit quelque effet ; le vent était à cette époque aux débauches de style et aux orgies d'adjectifs. On est fatigué aujourd'hui de ces saturnales littéraires. »

la Revue des Deux Mondes doit en parler (⁶). Nous arrivons *piano*. Si l'affaire était montée par nous, nous n'hésiterions pas à te prendre un abonnement d'un an, sûrs de te donner 12 numéros ; mais comme nous connaissons toutes les ressources de la Revue fondée par notre cousin, tu nous permettras de ne te prendre, ainsi qu'à mon oncle, qu'un abonnement de six mois, soit six francs. Je te redois donc huit francs.

Maintenant, mon cher cousin, que la paix est faite, embrassons-nous en attendant que nous le fassions de vive voix à la fin du mois. Nous pensons qu'Augusta se porte bien. Nous l'embrassons ainsi que Mᵉˡˡᵉ Mimi, (pardon une vieille habitude !) et Mʳ Marin.

ton cousin bien affectionné

Jules

P.S. — Rappelle-nous au souvenir de Mᵉˡˡᵉ Ponchard.

(⁶) « Il arriva un article de la *Revue des Deux Mondes*, furieux, féroce, presque impoli, signé Pontmartin, qui nous nia de la base au sommet, nous mit le bonnet d'âne et nous renvoya avec l'épithète de *Vadius de tabagie* » (*J.*, t. I, p. 45). Cet article du 14 janvier 1852, signé du pseudonyme V. de Mars était en effet très dur : « Le récit échappe à l'analyse et ne forme qu'un indéchiffrable chaos. » Pontmartin leur reproche surtout de médire de Molière et conclut : « Vadius et Trissotin sont de tous les temps. Seulement les Vadius de tabagie et d'atelier ont remplacé les Trissotins de salons et de petits vers. Voilà toute la différence ! »

XIX

PARIS
1, rue Laffitte
Rédaction

Paris, le 16 fév. 1853

Mon Cher ami,

Tu comprendras et excuseras facilement mon silence, quand tu sauras que nous sommes depuis deux mois sous le coup d'une condamnation pour atteinte à la morale publique. Nous sommes poursuivis pour cinq vers de Tahureau, poète du 16ᵉᵐᵉ siècle, vers pris dans le cours de poésie de Ste Beuve ouvrage publié sous la restauration qui a eu 8 ou 10 éditions, c'est te dire que c'est une poursuite politique menée contre nous (^{1}) et contre Alphonse Karr, l'homme de Cavaignac (^{2}). Le secret des lettres n'est pas trop sûr, je ne peux pas te raconter toute l'affaire, ce que je puis te dire c'est que le substitut qui a porté la parole contre nous samedi nous avait dit la veille à mon oncle M. de Courmont et à nous (^{3}) : « Messieurs, je vous déclare qu'il n'y a pas de délit dans les articles que je poursuis, on m'a dit de poursuivre, je ne me suis pas rendu à l'invitation, mais sur une lettre très pressante du ministre de la police j'ai été forcé de poursuivre, seulement je m'adresse à des hommes (^{4}) d'honneur je les prie de ne pas se servir de ce moyen de défense devant le tribunal ». L'auditoire a été enlevé, si enlevé que le tribunal n'a pas osé prononcer la condamnation, il a remis à huitaine pour condamner (^{5}). Je te raconterai tout le dessous de l'affaire quand tu viendras. Ne parle pas trop haut de ce que je viens de t'écrire, par là-dessus M. de Villedeuil (^{6}) a

(^{1}) Nous pouvons lire la relation de ce procès littéraire dans le *Journal* (cf. *J.*, t. I, p. 90 à 102) et dans les *Lettres de Jules de Goncourt* (p. 51 à 58) où Edmond raconte cette poursuite « plus inexplicable encore que celle de *Madame Bovary* ». M. Latour-Dumoulin, alors directeur de la police, reprochait à *Paris* (quotidien fondé par M. de Villedeuil le 20 octobre 1852 à la suite de *L'Eclair*) ses allures frondeuses. La citation des cinq vers de TAHUREAU fut un prétexte pour incriminer le journal. Ces vers étaient empruntés au *Tableau historique et critique de la Poésie française au XVIe siècle* que SAINTE-BEUVE venait de publier et l'Académie de couronner. Ils disent que Vénus,

> *Croisant ses beaux membres nus*
> *Sur son Adonis, qu'elle baise*
> *Et lui pressant le doux flanc,*
> *Son cou douillettement blanc*
> *Mordille de trop grand aise.*

(^{2}) Alphonse KARR (1808-1890), collaborateur de *Paris*, avait réécrit une vieille épigramme de Lebrun, et Nieuwekerke l'avait prise pour lui (cf. *J.*, t. I, p. 100). Romancier et pamphlétaire, Karr soutint la candidature du général Louis-Eugène Cavaignac (cf. *L. V.*, n. 4) à la présidence de la République aux élections du 10 décembre 1849. Nous connaissons encore de lui *Sous les tilleuls* (1832) et sa revue satirique *Les Guêpes* (1839-1876), célèbre à l'époque.

(^{3}) « La dernière visite fut pour le substitut qui devait requérir contre nous. Il s'appelait Hiver et avait les manières d'un homme du monde. Il nous déclara que pour lui il n'y avait aucun délit dans notre article, que notre article, à son sens, ne tombait nullement sous le coup de la loi, mais qu'il avait été forcé de poursuivre sur les ordres réitérés du Ministère de la Police » (*J.*, t. I, p. 96). Leur oncle de Courmont (cf. *L. VII*, n. 6) leur fut d'un grand secours dans cette affaire en intervenant auprès de M. de Royer, procureur général.

(^{4}) Par négligence, Edmond a en fait écrit : « je m'adresse des hommes d'honneur ».

(^{5}) La première audience ayant eu lieu le 12 février, le jugement fut rendu le 19. Les deux frères étaient acquittés.

(^{6}) Voir *L. XVIII*, n. 2.

un duel, en présence de l'hostilité du pouvoir, nous ne pouvons consentir à un duel sur le terrain français et nous allons peut-être partir ce soir pour la Belgique (⁷). Tous les embêtements ensemble.

Adieu tout a toi

Edmond de Goncourt

J'embrasse bien Augusta et les enfants

(⁷) Edmond termine ainsi sa longue note à la lettre que son frère écrit à Gavarni en février 1853 : « On nous considérait comme des esprits dangereux... Et pendant quelque temps, nous fûmes hantés par l'idée de nous expatrier, et d'aller fonder en Belgique un petit journal qui se serait appelé : le *Pamphlet* (*Lettres de Jules de Goncourt*, p. 58).

XX

Voilà bien les *enfants* ! — dis-tu. — Ils n'écrivent que pour demander des services, et ne répondent pas quand on leur demande un renseignement ! — Et tu lances plus fort trois bouffées de ta cigarette. —

Très bien. Mais si depuis huit jours tu avais dépouillé trois mille pamphlets sur la Révolution de 93, et lu à peu près cinquante volumes, tu serais bien excusable ; et c'est notre cas. Nous travaillons, comme des paresseux qui travaillent ; c'est-à-dire formidablement, du matin au soir, et quelquefois du soir au matin : voulant donner au mois d'Avril au public un livre curieux, une histoire inédite et inconnue qu'aucun historien de la Révolution française n'a même effleurée : l'Histoire de la Société de 89 à 99 : dix ans très pleins, comme tu sais (¹).

Et puis, je n'ai vraiment aucun renseignement à te donner sur Sᵗᵉ Barbe, le grand Sᵗᵉ Barbe ou le petit. Mʳ Scribe a été élevé à Sᵗᵉ Barbe, voilà tout ce que j'en sais. C'est un collège de bonne réputation, et je crois, d'une discipline convenable, moins féminine que la discipline de Rollin (²) — un collège qui ne fait que des

(¹) « Tout cet hiver, travail enragé pour notre *Histoire de la Société pendant la Révolution*... Point de femmes, point de plaisir, point de distraction, le labeur et la tension de tête incessants », notent les deux frères (*J.*, t. I, p. 127). Le livre paraîtra à leurs frais chez Dentu en 1854.

(²) Une lutte très vive s'était engagée entre les deux établissements pour la possession exclusive du titre de l'ancienne maison qui avait été leur berceau commun (cf. *L'ancienne communauté Sainte-Barbe et le collège municipal Rollin*

enfants, moins increvable que la discipline de Louis le Grand, qui rebute, et abêtit. — Tu vois que nos renseignements sont bien sommaires. — Sans vouloir donner raison à Augusta — les femmes ont toujours raison, et les maris toujours tort — et tout en pensant comme toi que le collège et l'éducation publique sont bonnes à l'enfant, et lui apprennent la vie, je ne sais si tu ne ferais pas bien d'attendre encore un an avant de mettre Marin au collège. Tu sais aussi bien que moi, qu'il est prudent de laisser tout à fait se former la santé de l'enfant, avant de le livrer à l'étude qui a peut-être le tort, dans notre système moderne, de ne pas s'occuper assez des progrès du corps. Je te soumets ces réflexions. Tu es père, et je suis cousin : tu es mieux à même que moi de décider pour le bien de ton fils.

Pour ce fameux curage de la Meuse, j'ai relu mon bail. Il porte que les fermiers doivent le payer, portant qu'ils doivent payer contributions ordinaires, extraordinaires, assises ou à asseoir. Ils m'ont écrit ; parbleu ! ils m'ont écrit les fameuses tirades du *Bas Bleu* (³) ; et que mon oncle payait cet impôt pour ses fermiers. Je leur ai répondu qu'ils payassent d'abord ; et que je te chargeais d'arranger cette petite affaire, que tu irais aux Gouttes. Ainsi te voilà encore notre ministre-plénipotentiaire (⁴). Tu feras tout ton possible pour qu'ils consentent à le payer de leur argent ; et si tu vois que c'est par trop impossible, *nous nous résignerons.*

Comment vas-tu ? Ta femme est revenue de Neufchâteau ? Comment se porte papa Victor (⁵) ? Est-il toujours aussi furieux

---

par A. ROUSSELOT, p. 43 et sqq). En 1830, le Conseil royal de l'Instruction publique décida que le nom de Sainte-Barbe serait laissé au collège royal, placé 4, rue Valette, près de la bibliothèque Sainte-Geneviève, et que l'autre établissement, sis au 4, rue des Postes (aujourd'hui rue Lhomond), prendrait le titre de collège municipal Rollin. Le collège Rollin fut transféré à Montmartre en 1867, transformé en lycée en 1919 et prit le nom de Jacques Decour en 1944.

Eugène Scribe étudia au « grand Ste Barbe », rue Valette, de 1802 à 1808 et l'a évoqué dans *Maurice.*

Marin étudia à Rollin de 1857 à 1864.

(³) *Un Bas-bleu*, vaudeville en un acte de Ferdinand LANGLÉ et F. VILLE-NEUVE, créé aux Variétés le 24 janvier 1842 ; voir scène 5 : Athénaïs Chamuset, l'héroïne, ayant hérité des terres d'une tante, son nouveau fermier, Champioux, vient lui énumérer les malheurs invraisemblables qui ont fondu sur lui, sa femme et ses 14 enfants. Il fait ainsi outrageusement réduire ses fermages.

(⁴) Une lettre de leur fermier Flammarion écrite le 23 avril 1853 (cette lettre est conservée à l'Arsenal) nous montre que Léonidas Labille s'occupait effectivement des affaires de ses cousins : « Vous mave dit dans le dernier argent que je vous ait envoyé que vous aitiez surprit que je vous envoyait pas l'augmentation, et que Mr. Labille arrangerait cela quand il viendrait aux goutes. Il ma dit que fauderait qu'il voyent le bail. »

(⁵) L'oncle Pierre-Antoine-Victor de Neufchâteau (cf. L. I, n. 4).

contre... ? Ma *tousine* ([6]) Eugénie viendra-t-elle cet hiver à Paris, et vous aussi ?

Edmond et moi te donnons une grosse poignée de main. Nous embrassons Augusta, notre cousine, et Mr Abillon.

tout à vous.

Jules

Le 9/9bre 1853

P.S. — Rappelle-nous au bon souvenir de Melle Ponchard.

([6]) Le mot « tousine » souligné par Jules imite la prononciation erronée de « cousine » qu'Eugène avait enfant. Cf. L. VIII, n. 9.

XXI

Paris ce 10 Juin 1854

Nous sommes, mon cher Léonidas, des cousins bien paresseux, n'est-ce pas ? Voilà une infinité de temps que nous ne t'avons écrit ; c'est très vrai encore ; mais je t'assure que lorsqu'on a écrit quinze mille lignes pour S. M. le public, la plume vous tombe des mains de fatigue ([1]) ; — même s'il s'agit d'écrire une pauvre petite lettre à ses amis et parents.

Puis nous avons eu à faire pendant deux mois un métier de nègre ; à pousser notre volume ; à courir ici et là ; à stimuler l'éditeur ; à surveiller les compte-rendus ; ce n'est pas le tout de semer, il faut moissonner ; et tu ne peux pas te faire une idée du mal qu'il faut se donner pour faire rendre à un livre tout ce qu'il peut vous donner de publicité. Au reste nous sommes très contents : tous les grands organes de la presse ont dit un long mot de nous ; — et le *Journal des Débats* lui-même, ce roi des rois de la Presse, qui ne parle que de bien peu de gens et de bien peu de livres nous consacre trois grands articles ([2]). — C'est donc une victoire complète ; et le

([1]) Les deux frères préparaient alors leur *Histoire de la Société française pendant le Directoire* qui devait paraître le 24 mars 1855 chez Dentu.

([2]) Il s'agit de trois articles de François Barrière parus dans le *Journal des Débats* les 27 mars, 24 juin et 23 juillet 1854. Après avoir cité de longs extraits de l'*Histoire de la Société française pendant la Révolution*, le critique termine par ce bref éloge : « Quelles obligations n'a-t-on pas aux deux historiens d'un ordre

livre que nous t'avons envoyé est énorme pour notre avenir. Assez d'égoïsme comme cela. — Comment vas-tu ? Qu'est-ce que tu fais ? Qu'est-ce que tu deviens ? — Nous avons vu comme tu sais Augusta à son dernier voyage à Paris. — Ces maudites dents vont-elles tout à fait bien ?

As-tu des nouvelles de papa Victor (³) ? — je lui écris. — S'il veut bien nous recevoir, nous irons passer chez lui le mois de Septembre ; en famille, en compagnie de ta femme et de ta fille. Allons ! tu viendras bien aussi y passer une huitaine de jours. Ce serait charmant de nous trouver tous là-bas. Nous causerions de toutes choses ; du bon dieu, du diable, du gouvernement, et de l'amour. — Nous te raconterions Bordeaux où nous venons de passer un mois ; une ville mon cher, où toutes les femmes sont jolies (⁴). Enfin je sais bien que tu proposes, et que ton père (⁵) dispose. Mais j'espère toujours que tu trouveras moyen de t'arranger pour venir à Neufchâteau.

Je ne te dirai rien de la guerre d'Orient, parce que je n'en sais que ce qu'en disent les journaux (⁶) — Pourtant on me racontait dernièrement que le ministre de la marine, Mᵣ Ducos (⁷), disait dans ses salons : « La guerre durerait trente ans que cela ne m'étonnerait pas. » Trente ans, diable, ce serait long !... et cher (⁸) ! !

Ma cousine Eugénie. — je n'ose plus dire Mᵉˡˡᵉ Mimi — doit chanter de mieux en mieux, et jouer maintenant du piano les yeux

tout nouveau, dont la vive intelligence, les mains alertes, le tact fin, le savoir moqueur, l'érudition sérieuse ou gaie ont exhumé pour nous d'une innombrable quantité de brochures, de pamphlets, de volumes, cette inappréciable et fantastique revue du passé. »

Une lettre de Barrière (B.N., acq. nouvelles, n° 22451, f. 25) concerne l'article du 27 et en promet deux à venir.

(³) L'oncle Pierre-Antoine-Victor, de Neufchâteau (voir L. I, n. 4).

(⁴) Les deux frères visitèrent les Landes pendant le mois de mai 1854 (cf. *J.*, t. I, pp. 133 à 136). Dans une lettre à Gavarni datée du 22 mai, Jules remarque : « Superbes femmes ! Les femmes nous semblent véritablement avoir le je-ne-sais-quoi coquet, qui fait le caprice de l'homme. »

(⁵) En fait son beau-père, Pierre-Antoine-Victor (voir L. I, n. 4).

(⁶) La guerre de Crimée puise ses sources dans la lutte pour la Méditerrannée entre la Russie expansionniste de Nicolas Iᵉʳ et la Grande-Bretagne qui voulait y conserver sa suprématie. Napoléon III mêla la France à ce conflit anglo-russe afin de protéger les Lieux saints catholiques.

(⁷) Théodore Ducos (1801-1855) marqua son passage au ministère de la Marine par les grandes améliorations qu'il apporta au génie maritime.

(⁸) Commencée en octobre 1853, la guerre d'Orient se termina le 30 mars 1856 par le traité de Paris, après la victoire franco-anglaise de Sébastopol. Mais la France l'emporta au prix de lourds sacrifices et, le 26 décembre 1854, l'empereur dut lancer un emprunt national de 500 millions pour faire face aux besoins de la guerre.

fermés ; et je vois d'ici que Melle Ponchard en est toujours aussi mécontente. — n'est-ce pas ?

Le vieux père Rattier est mort (⁹) .Tu sais ça. Sa famille nous a fait l'honneur de nous envoyer un billet de part pour son enterrement. Commencer à être poli pour vous inviter à un service mortuaire, nous avons trouvé la chose assez bizarre ; — nous n'y avons pas mis les pieds bien entendu, ayant l'habitude d'être les amis de nos amis, de nous intéresser à ceux qui s'intéressent à nous ; et de ne rien pardonner aux enrichis qui n'ont pas encore appris à vivre.

Là, je n'ai plus rien du tout à te dire. Embrasse ta femme pour nous, Eugénie aussi. — Rappelle-nous au souvenir de Melle Ponchard. — Réponds-nous et crois-nous

tes amis de cœur

Jules

(⁹) Le père de Léon Rattier (voir L. VI, n. 3).

XXII

Paris, ce 22 avril 1855.

Ma chère Augusta,

Comment allez-vous tous ? et surtout comment va Léonidas ? Est-il tout à fait bien ? A-t-il repris un bon train de santé ? a-t-il quitté tout à fait ses maudites douleurs ? — Et toi, pauvre garde-malade ? Et ta fille ? et Marin ?

Voilà plus d'un grand mois que je remets pour répondre à la lettre que tu m'as fait écrire, pour nous annoncer la mort de ton beau-père (¹). — Mais nous avons tellement eu à travailler, et à courir ce mois-ci, que tu n'as pas à nous en vouloir de notre silence, bien vraiment (²).

Eh bien, voilà que rien ne vous retient plus à Bar-sur-Seine : allez-vous jouir de votre liberté, et venir marier Mimi à Paris, et, Mimi mariée, vous installer en une belle campagne aux portes de

(¹) Le père de Léonidas, Louis-César-Auguste Labille (1770-1855).

(²) Publiant des extraits de leur *Histoire de la Société française pendant le Directoire*, ils travaillaient d'autre part à une brochure d'une cinquantaine de pages : *La Peinture à l'Exposition de 1855.*

Paris ? — Nous vous attendons et nous vous espérons. — Et pourquoi ne viendriez-vous pas (³) tout de suite, pour l'Exposition (⁴),
par exemple ?

Je suis si persuadé que vous allez venir, et qu'on pourra causer
avec vous de vive voix, que je ne veux pas vous entretenir sur le
papier plus longtemps.

Assure Mᵉˡˡᵉ Ponchard de tous nos souvenirs ; Embrasse ta
fille, comme nous l'aimons. et ton gamin de fils. Nous serrons la
main à Léonidas ; ne sois pas trop paresseuse, et écris un mot.

à tes cousins tout dévoués

Jules

(³) Par négligence, Jules a en fait écrit « ne viendrez pas ».
(⁴) L'Exposition universelle de 1855 qui se déroule au Palais de l'Industrie.

XXIII

28 Sept. 55.

MON CHER LÉONIDAS, MA CHÈRE AUGUSTA,

Sacristi ! oui, c'est dix huit cents francs, sur quatre mille sept
cents, — qu'on nous rafle cette année ! Rien que cela ! Il faut être
millionnaire à ce compte là, pour avoir des fermes. — Et cela nous
tombe justement au moment où nous avons besoin d'argent pour
voyager (¹). — Enfin, il faut prendre son parti de ce qu'on ne peut
empêcher — ce qui ne nous empêche pas de dire que les terres sont
une fichue propriété pour des pauvres hères comme vos cousins.

Augusta s'est très mal conduite en ne nous donnant pas de
nouvelles de la santé de son mari. Nous l'en punissons, en ne nous
adressant pas à elle.

Comment vas-tu, Léonidas ? Les forces te reviennent-elles ?
Vas-tu nous redevenir, comme je l'espère bien, le gros et gras
Léonidas que nous connûmes, toujours gai et dispos ? — Tiens !
je vais te donner une excellente recette pour te rétablir : il te faut
ce qui aurait fait vivre ton beau-père cent ans : il te faut Paris.
— Si ta femme te résiste là-dessus, je te permets de lui commander

(¹) Pour voyager en Italie (voir L. XXIV, n. 2).

du haut de ton titre de mari, et du haut de ta barbe. — Je t'enverrai ces jours-ci deux magnifiques articles des Débats consacrés
entièrement à la glorification de tes deux vieux amis et cousins ([2]).
— et dis encore qu'on t'oublie !

Nous nous rappelons au bon souvenir de Melle Ponchard ; nous
embrassons de tout notre cœur la ci-devant Melle Mimi sur les
deux joues ; et nous donnons le fouet à Marin —

> toujours de tout cœur.
> > vos cousins tout dévoués
> > > Jules

([2]) Ces deux articles parus dans le *Journal des Débats*, les 25 septembre et
24 octobre 1855, sont signés par François Barrière. Ils concernent l'*Histoire de
la Société française pendant le Directoire* ; ils sont relativement élogieux avec cette
réserve toutefois dans la conclusion du second : « j'aurais voulu que ces messieurs
s'arrêtassent plus tôt. »

XXIV

Venise, 13 Décembre 1855

Mon cher Léonidas, ma chère Augusta,

J'apprends aujourd'hui même par une lettre de Rose ([1]), que
notre chère petite cousine se marie, et que vous nous invitez au
mariage, le 15 Janvier. — Hélas ! mes chers amis, voyez où nous
sommes, et pensez où nous serons à cette époque ([2]). C'est très
vilain à nous de voyager ; mais c'est très vilain à vous de marier,
pendant que nous voyageons ; ce qui n'empêche pas que nous ne
soy-ons bien heureux de vous voir un souci de moins, et un gendre
de plus, et d'avoir une cousine parisienne. Nous ne serons pas là
pour embrasser la mariée ; mais répétez-lui ce qu'elle sait : de loin
comme de près ses vieux cousins feront les mêmes vœux pour qu'elle

---

([1]) Leur servante Rose (voir L. XI, n. 9).
([2]) Les deux frères partirent en Italie avec Louis Passy du 8 novembre 1855
au 6 mai 1856 (cf. *J.*, t. I, p. 228 à 232 ; *Lettres de Jules*, p. 97 à 128 ; carnet de
Notes d'un voyage en Italie, illustré de croquis de Jules et déposé au Département
des Dessins du Musée du Louvre). Les *Lettres de Jules* nous montrent que les
deux frères seront à Florence du 3 au 22 janvier.

ait le bonheur qu'elle mérite si bien ; et quand ils seront de retour, Mme Lechanteur sera, pour eux, une voisine, dont ils n'oublieront guère la porte (³).

Quel dommage pourtant ! faut-il que nous ay-ons été à Neuf-château pour la noce de cette grue de Foedora (⁴). et que nous ne soy-ons pas à Paris pour la noce de votre fille, que j'appelle ici *Mimi* pour la dernière fois !

Rappelez-nous à l'excellent souvenir de Melle Ponchard, que nous espérons bien voir à Paris, cet été.

Nous embrassons, de tout cœur, le père, la mère, et la mariée, et nous sommes, vous félicitant sincèrement et bien vraiment

les cousins

Jules

Je ne vous écris que ce bout de lettre aujourd'hui, pour vous répondre de suite. Je vous enverrai de longues pages de Florence où nous serons dans dix jours.

(³) Le 6 juin 1856, les deux frères font allusion à leur cousine Eugénie qui « vient de se marier » avec Ludovic Lechanteur, auditeur au Conseil d'Etat (voir *J.*, t. I, p. 246).

(⁴) Foedora Henrys, l'épouse de Léon Rattier (L. VI, n. 6). Au xixe siècle, le terme « grue » avait un sens moins péjoratif qu'aujourd'hui. *Littré* lui donne comme premier sens figuré : « grande femme qui a l'air gauche » et comme deuxième sens : « niaise ».

XXV

22 Aout 56.

Mon cher Léonidas et ma chère Augusta,

Ah ! que vous devez en dire ! ah ! comme vous devez traiter *les enfants* ! fi ! les vilains ! ne pas écrire, et bien pis que ça, ne pas répondre ! — Le moins qui puisse nous arriver est d'être traités de sans cœur, et d'abominables parents.

Nous avons des torts, de grands torts, les torts les plus grands du monde ; mais nous ne sommes pas impardonnables. — Je vous jure que voilà deux mois que nous remettons à vous écrire (¹).

(¹) Dès leur retour d'Italie, ils rédigèrent de nombreux articles et portraits fantaisistes ou documentaires réunis dans *Une voiture de masques* (Dentu, 1856), devenu plus tard *Quelques créatures de ce temps* (Charpentier, 1876). Comme ils

Vous ne savez pas, vous ne saurez jamais ce que c'est que la vie littéraire ; et ce qu'il faut de travail et de courses, de dépenses de jambes, de tête, d'encre, et d'activité, pour arriver un peu, avoir un nom que le public salue comme une connaissance, lancer des articles, les placer, se montrer dans les bureaux de journaux, et dans leurs colonnes, faire sa carrière soi-même, — édifier un gros volume, — et courir après la gloire, qui court plus vite que vous.

Mais parlons de votre fille. C'est parler de vous. C'est une très jolie personne, que la ci-devant *Mademoiselle Mimi* ; une dame, et une parisienne, qui sait se mettre, tiendrait un salon, si elle l'avait, a de jolies robes, un sourire charmant, une excellente tournure de mariée, — et cette chose qu'on n'acquiert que quand on l'a : de la grâce. Vous devez savoir son bonheur mieux que nous. Son mari nous a semblé un parfait mari ; fort empressé, fort amoureux, — Son mari est bien ce que tu m'as dit, ma chère Augusta ; mais ce n'est point l'argent qui fait le bonheur.

Hélas ! nous aurions eu grand plaisir et grande joie à nous réunir à vous à Neufchâteau. Mais d'abord, nous sommes si coupables à l'égard de notre oncle (²), et nous avons tant de remords de notre silence, qu'il nous faudrait beaucoup de courage pour lui demander l'hospitalité. — Ceci, du reste, je te l'avoue ; et avoue-le-lui de notre part, ne nous eut pas retenu. De temps immémorial, les oncles ont pardonné à leurs *coquins* de neveux ; et je connais trop le cœur de mon oncle pour lui croire une bien grosse rancune contre d'horribles paresseux. Nous l'aurions, j'en suis sûr, désarmé en l'embrassant.

Mais, voici qui est bien pis. Nous sommes attelés en ce moment — attelés est le mot — à un gros diable de volume de 500 pages, qui nous empêche absolument de démarrer ; un travail, mes chers amis, qui ne donne pas de congé, comme font les ministères ; un travail qu'il nous faut avoir achevé avant l'hiver ; — et qui nous tient, et nous tiendra ici le temps que vous parlerez et médirez sans doute de nous là-bas. Les hommes de lettres sont des forçats : il ne faut pas leur en vouloir.

D'après la grande page que m'a écrite Léonidas, je lui suppose maintenant un excellent état de santé. J'ai retrouvé toute la bonne humeur de son esprit dans ses petites lignes serrées. — Allons :

l'expliquent plus bas, ils sont également attelés à « un gros diable de volume de 500 pages ». Ils poursuivaient en effet des recherches en vue de leurs *Portraits intimes du XVIIIᵉ siècle* que Dentu publiera pour la première fois à son compte en 1857.

(²) L'oncle Pierre-Antoine-Victor (voir L. I, n. 4).

le voilà qui a remballé avec la vie, et avec la gaieté. Il rit du diable de confiance ; il a bien raison ; cela vaut mieux que d'en rire *de visu*, ce que nous ferons pourtant lui et nous un jour ou l'autre qui ne sera pas demain, espérons-le.

Ainsi donc, ne comptez pas sur nous, et plaignez-nous. Buvez à notre santé, quand vous boirez ; — Nous vous le rendrons de tout notre cœur.

Nous vous chargeons de dire à notre oncle, que nous ne l'oublions pas ; que nous lui avons écrit mille lettres en idée ; et que nous lui écrirons, avant peu, pour lui demander des nouvelles de sa santé, à laquelle nous nous intéressons grandement et chaudement, et notre pardon, auquel nous tenons et qu'il ne saura nous refuser.

Au revoir, mes chers amis ; embrassez la mariée ; embrassez le lycéen Marin ; et croyez-nous, écrivant ou non,

vos amis, et parents tout dévoués

Jules

XXVI

26 Juin 1857 ([1])

26 Juin-Château de Croissy-Beaubourg.

MON CHER LÉONIDAS,

Ta lettre nous parvient au château de notre oncle de Courmont ([2]), où nous sommes venus passer une quinzaine de jours, pour nous reposer, et nous refaire un peu de nos veillées d'hiver.

Mon frère et moi nous prenons, — tu n'en doutes pas — une bien vive part au triste état de mon oncle ([3]). Comment n'y a-t-il moyen de le remonter un peu physiquement et moralement ? Nous espérons bien qu'il ne voit plus de docteur Sangrado ([4]). A-t-il un bon médecin, qui vise uniquement à remonter ce tempérament affaibli ?

([1]) Cette date a été ajoutée ultérieurement par Edmond.

([2]) Les deux frères séjournèrent à Croissy du 15 juin au 3 juillet (cf. *J.*, t. II, p. 130 à 134) chez leur oncle Jules Lebas de Courmont (L. VII, n. 9).

([3]) L'oncle Pierre-Antoine-Victor (L. I, n. 4) mourut peu de temps après, le 12 juillet 1857 (L. XXVII, n. 1).

([4]) Le médecin ignorant du *Gil Blas* de LESAGE.

— Votre présence, vos bons soins auraient dû le ranimer ; et je vois, d'après ta lettre, que ce bon effet a été de bien peu de durée. N'aurait-il point fallu qu'il restât un peu longtemps à Paris à suivre un traitement énergique et sérieux ? Je te dis tout cela à bâtons rompus, comme un homme qui voit de loin, c'est-à-dire mal ; vous qui êtes auprès de ce cher malade, vous êtes mieux à même de savoir et de voir, hélas ! et de craindre. Je vous plains bien. Assurez notre oncle de tous les vœux que nous formons pour lui, et de toutes les pensées que nous lui donnons. Il est un trop honnête, trop grave, et trop excellent homme pour que nous ne soyons pas bien peinés de cette faiblesse croissante, et de cette atonie qui va empirant. Ces habitudes de lit surtout, d'un homme si actif que lui, si marcheur, sont frappantes et mauvaises. Enfin, il vous a ; il a Augusta ; et c'est beaucoup pour un malade, d'avoir une telle affection à côté de lui : elle seule peut faire des miracles mieux que la médecine.

Je t'écris, mon cher Léonidas, à Neufchâteau ; et je ne sais trop si tu y es encore. Nos arrangements à nous, ne nous permettront d'aller à Breuvannes que dans une quinzaine de jours (5). Nous comptons t'y trouver. Au reste, notre séjour sera le plus court possible. Ne t'inquiète pas pour l'embarras que nous pourrions donner aux domestiques de mon oncle, tout occupés de lui, comme ils le doivent ; nous ne voulons être d'aucun dérangement dans la maison : et nous ne ferons que passer embrasser mon oncle, lui serrer la main, le réconforter, autant qu'il sera en nous.

A bientôt donc mon cher Léonidas. Je t'écris cette lettre sous le couvert d'Augusta au cas où tu serais parti. Embrassez votre père pour nous. Nous vous embrassons et nous sommes

vos vieux et dévoués cousins

Jules

P.S. — Veuillez rappeler notre oncle de Courmont au bon souvenir de mon oncle qu'il n'oublie pas.

---

(5) Ce voyage d'affaires à Breuvannes, aux fermes des Gouttes-Basses, est relaté dans le *Journal* (*J.*, t. II, p. 116 à 150).

XXVII

Jeudi 6 Août 1857.

Mon cher Léonidas

Aussitôt arrivés à Paris, nous nous sommes occupés de la mention dans les journaux de la mort de notre oncle. Elle a été annoncée partout, dans les *Débats* etc etc. Pour le *Siècle* ([1]), comme l'annonce était faite, et qu'un journal ne revient jamais là-dessus, il n'y avait plus rien à faire ; et toute démarche pour obtenir mieux eût été inutile. Dis-le bien à Augusta.

Mr Collardez nous a reçus, comme il reçoit la famille, de tout cœur. Nous avons bien bavardé avec lui, dit du bien des morts, et du mal de Dieu. Nous t'avons grandement regretté : tu aurais fait chorus avec nous. Mr Collardez nous a presque promis de venir passer une semaine cet hiver à Paris, et nous comptons nous venger un peu de sa bonne et cordiale hospitalité ([2]).

Donne-nous des nouvelles d'Augusta. La solitude, dans cette maison si pleine de tristes souvenirs, a dû lui paraître dure, après la société de sa fille et de son gendre, et aussi un peu la nôtre ; répète-lui que notre pensée va bien souvent à vous, et que si elle ni toi vous ne nous oubliez, nous vous le rendons bien.

Nous partons Lundi pour les bains de mer, sans savoir encore où nous irons ([3]). Nous serons de retour en Septembre, et nous vous attendons tous les deux, entends-tu, *tous les deux* ? Il faut que tu viennes : on ne met pas tous les jours de sa vie un Marin au collège ([4]).

([1]) L'oncle Pierre-Antoine-Victor mourut le 12 juillet 1857. Son enterrement est relaté dans le *Journal* (cf. *J.*, t. II, p. 140 à 143). Son décès a été mentionné dans le *Journal des Débats*, chronique des « Faits divers », et dans *Le Siècle*, chronique des « Décès et inhumations », respectivement les 13 et 14 juillet 1857.

([2]) Paul Collardez (1805-1864), notaire à Breuvannes, était un véritable ami pour les deux frères, un « vieil hébergeur de la famille [...] un grand esprit, enterré vif dans un village [...] ayant pris son parti de la vie, « ce cauchemar entre deux néants » (*J.*, t. II, p. 147-148).

([3]) Le *Journal* nous révèle qu'ils allèrent en fin de compte se reposer à Saint-Cloud (*J.*, t. II, p. 154).

([4]) Marin est « fourré dans le collège le plus aristocratique et le plus religieux », le collège Rollin (*J.*, t. II, p. 162). Sur le collège Rollin, voir L. XX, n. 2. Les archives de cet établissement nous révèlent qu'il y a poursuivi ses études de 1857 à 1864. Il demeura un élève moyen.

A propos de Marin, m'a-t-il pardonné les verres d'eau dont il m'a inondé ? Nage-t-il toujours de plus fort en plus fort ? C'est la grâce que je lui souhaite, en attendant que je sois son Mentor au mois d'Octobre, et que je le mène au Jardin des Plantes.

Nous vous embrassons, ta femme et toi. Nous présentons nos hommages à Mr Eugène Labille, et nous sommes

vos vieux amis et cousins

Jules

XXVIII

15 Octobre 1857

MON CHER LÉONIDAS,

Plus d'inquiétude ! Ton *drôle*, comme te l'a sans doute déjà écrit Augusta, est revenu à de meilleurs sentiments ; il est rentré en lui-même, et n'est pas sorti du collège ([1]).

Inutile de te dire que le fouet de poste n'eût pas été oublié, s'il y avait eu lieu.

Nous devons le faire sortir ces Dimanches-ci ; et nous l'amuserons de notre mieux ([2]), — tout en lui prêchant la soumission aux lois, à ses parents, et aux pions.

Il paraît que tu profites de l'absence de ta femme pour faire tes farces avec une demoiselle.... C'est joli !

Adieu. Je n'ai pas voulu me coucher sans te rassurer

et tout à toi

ton vieux cousin

Jules

P.S. — Donne-moi l'adresse du notaire le plus *solide* de Chaumont ([3]).

([1]) Marin venait de rentrer en sixième en septembre, au collège Rollin et avait sans doute été apeuré par cette nouvelle vie (L. XXVII, n. 4).

([2]) Le *Journal* relate avec amertume une de ces sorties dominicales : « L'enfant que nous avons là a le corps de ces enfants-là, le remuement et le tapage, mais rien que cela » (*J.*, t. II, p. 172).

([3]) Dans une lettre du 7 décembre 1857, Léonidas Labille écrit à ses cousins qu'il connaît un bon notaire à Paris. L'année suivante, dans une lettre datée du 10 décembre 1858, il leur recommandera Mes Lambert et Chevry (L. XXXII, n. 4).

XXIX

24 Mars 1858

Ma chère Augusta,

Nous te remercions bien de ta bonne invitation. Nous aurions grande envie, et grand besoin d'en profiter. Nous sommes très las, épuisés de tête et de corps ; et quelques jours passés au milieu de vous nous reposeraient la tête et le corps. Mais hélas ! l'homme de lettres propose, et l'éditeur dispose.

Un volume dont nous attendons beaucoup pour le présent, et encore plus pour l'avenir, notre histoire de Marie-Antoinette, est sous presse depuis trois jours. Nous recevons de Firmin Didot une épreuve chaque jour ; et il nous est absolument et rigoureusement impossible de nous absenter un seul jour de Paris [1]. Crois bien, ma chère Augusta, que nous sommes aussi ennuyés que toi de ce contre-temps ; et sois bien assurée que si dans le courant de cet été, nous nous trouvons quelques jours de libres, nous irons les passer auprès de toi et de ton mari, en famille.

Ce que tu me dis de Marin nous fait grand plaisir. Il sortira, de cette maudite crise, fort et grand garçon [2].

Nous allons aller voir ta fille, nous la chargerons de tous nos regrets et de toutes nos amitiés pour vous.

Embrasse ton mari pour nous ; taquine Marin pour moi, et n'oubliez pas les enfants [3].

Jules

[1] L'*Histoire de Marie-Antoinette*, sans doute leur meilleure œuvre biographique, fut mise en vente le 19 juin 1858. Ils trouvèrent pour ce livre un nouvel éditeur, Firmin-Didot, « enfin un éditeur sérieux » (*J.*, t. II, p. 205).

[2] Le registre annuel du collège Rollin (année 1858) nous apprend que « le jeune Labille, malgré une longue absence pendant l'hiver, a su fournir un travail constant ».

[3] « Les enfants », c'est-à-dire Jules et Edmond.

XXX

11 mai 1858

Ma chère Augusta,

Tu es bien aimable de nous réinviter encore. Ah ! sapristi, s'il ne tenait qu'à nous, nous serions chez toi, je te le promets bien. Mais plus notre diable de livre avance, moins il marche vite ; et je n'en vois au plus tôt la fin que pour les premiers jours de Juin. C'est vraiment insupportable d'être retenu à Paris par un diable d'imprimeur qui va comme une tortue, et se soucie de notre cousine qui nous attend, comme de Colin tampon ([1]). Ainsi, ma chère Augusta, maudis Mr Ambroise Firmin Didot, mais ne maudis pas tes cousins, qui, les pauvres diables ! sont enchaînés rue St Georges, et voudraient bien se sauver — Enfin, ce qu'il y a de sûr, et ce dont nous vous menaçons positivement c'est que vous ne perdez rien pour attendre. Et que, soit à Bar, soit à Neufchâteau, il faudra que vous nous donniez l'hospitalité. Tant pis pour vous ! c'est votre faute !

Nous avons bien étonné ta fille Dimanche. Elle nous a rencontrés aux Courses du bois de Boulogne, ou nous avions été menés pour la première fois de notre vie, dans deux voitures, rien que ça ([2]) ! Nous avons été lui dire bonjour dans son Phaéton. Elle nous a dit qu'elle comptait aller chez vous vers le 20 avec Melle Ponchard. Nous lui avons dit tous nos regrets de ne pouvoir nous trouver avec elle, chez vous. Nous avons embrassé pour nous et pour vous, le jeune collégien, qui avait une mine superbe, et paraissait s'intéresser aux courses, comme s'il avait des paris engagés. J'irai à la fin de cette semaine m'informer auprès de lui, pendant une récréation, s'il a perdu ; et je m'arrangerai de façon à ce qu'il fasse honneur à ses engagements.

Sur ce adieu, ma chère Augusta. Je t'embrasse, et nous t'embrassons de tout cœur

au plus tôt possible

Jules.

Mon cher Léonidas

Les enfants ([3]) ont eu un magnifique article dans la *Presse* de Dimanche ([4]). Ce n'est que le commencement ! Nous t'enverrons le volume aussitôt paru ; et puis je te recommande bien de ne pas

---

([1]) L'éditeur Firmin-Didot réclama pour l'*Histoire de Marie-Antoinette* de nombreuses corrections, ce qui mit les Goncourt dans « une belle colère » (*J.*, t. II, p. 216).

([2]) S'ils rencontrèrent leur petite cousine aux courses du bois de Boulogne le dimanche 9 mai, ils y remarquèrent surtout « des putains à peine dégrossies du bordel » (*J.*, t. II, p. 231).

([3]) Voir L. XXIX, n. 3.

([4]) Cet article de Paul de Saint-Victor paru dans *La Presse* du 9 mai 1858 donne un compte rendu flatteur de leurs *Portraits intimes du XVIIIe siècle*.

lire le nouveau livre de Proudhon (⁵). Ca t'exciterait trop. C'est d'une force « En voilà une volée de bois vert, Basile, mon mignon ! » (⁶).

(⁵) Les Goncourt parlèrent beaucoup de ce livre de PROUDHON, *De la Justice dans la Révolution et dans l'Eglise* (1858) avec leurs amis Saint-Victor, Charles Edmond et Gavarni dont ils partageaient le « grand mépris pour les étonneurs de bourgeois » (*J.*, t. II, p. 231 et 239).

(⁶) Basile, dans *Le Mariage de Figaro* de BEAUMARCHAIS. Figaro s'adresse à Suzanne : « Bazile ! ô mon mignon ! si jamais volée de bois vert, appliquée sur une échine, a dûment redressé le moelle épinière à quelqu'un... » (acte Iᵉʳ, sc. ɪ).

XXXI

Mardi 21 Septembre 1858

MA CHÈRE AUGUSTA,

J'ai été assez souffrant ces jours-ci de maux de foie pour être forcé de me mettre au régime des purgations, bains etc. C'est ce qui t'explique notre retard. Nous avons fixé notre départ à Samedi prochain 25 Septembre, à midi ; de façon à arriver chez toi, selon nos calculs, à 9 heures du soir (¹).

Nous t'embrassons d'ici là, toi, Léonidas et Marin, de tout notre cœur

les enfants (²)

(¹) Ce séjour à Bar-sur-Seine est relaté dans le *Journal* (*J.*, t. III, p. 53 à 57).

(²) Voir L. XXIX, n. 3.

XXXII

Paris ce 18 dbre 1858

MON CHER LÉONIDAS,

Que veux-tu dire avec ton laconisme, c'est un peu un logogriphe pour moi, ce qu'il y a de certain c'est que nous ne sommes pas trop laconiques (¹) dans ce moment-ci vu que nous sommes en train

(¹) Par négligence, Edmond a en fait écrit : « nous sommes pas trop la-coniques ».

d'écrire une vingtaine de mille lignes, ce qui nous rend très peu épistolaires. Notre roman passe dans le Journal la *Presse* (²) et il faut qu'il soit livré le 1ᵉʳ février, et le diable c'est qu'il semble s'allonger à mesure que nous y travaillons, la vérité vraie c'est que dans ce moment-ci nous nous reprochons une heure que nous perdons et nous ne sortons que quand nous sentons un commencement de migraine. Puis par là-dessus dans cette sacrée débauche de travail, il a fallu commencer un procès contre un *dictionnaire des Contemporains* qui disait que notre nom était un pseudonyme, mais devant l'acte de naissance de mon père, il a été obligé de faire un carton et une rectification dans les quatre grands journaux et que tu as dû lire dans le Siècle (³). En attendant notre Marie-Antoinette va très bien, notre seconde édition qui paraît ces jours-ci est aux deux tiers vendue d'avance m'a dit Didot (⁴), j'ai reçu des propositions d'Allemagne ces jours-ci pour une traduction allemande et j'en attends d'Angleterre. Je te remercie de tes noms de notaire je m'occuperai seulement de la vente des Gouttes en février quand je serai débarrassé ! Ce que tu me dis de Cornu m'embête au possible (⁵), il faudrait donc que je lui retire ma

(²) Il s'agit des *Hommes de Lettres*. Ce roman fut à moitié publié dans *La Presse* puis leur fut rendu. « C'est Gaiffe qui empêche notre roman de passer » (*J.*, t. III, p. 108). GAIFFE, rédacteur de *La Presse*, reprochait en effet aux deux frères de l'avoir pris comme modèle pour un des personnages des *Hommes de Lettres* : Florissac, journaliste brillant mais sans scrupules.
Le roman parut seulement le 24 janvier 1860 chez Dentu, à compte d'auteur. Dans sa 2ᵉ édition de 1868, il s'intitula *Charles Demailly*.
(³) Les deux frères tenaient beaucoup à leur nom « nobiliaire » comme ils disaient, et à leur particule. En 1858, lorsque le *Vapereau* les désigna sous le nom de « Goncourt (Edmond et Jules Huot, dits de), littérateurs français, nés à Goncourt (Vosges), vers 1825 », ils exigèrent par le ministère de Mᵉ Tixier, outre un carton, une rectification dans quatre grands journaux.
Nous pouvons lire dans le *Journal*, à la date du 24 novembre 1858 : « Hachette et Vapereau ont capitulé. » Paraît, dans les quatre grands journaux *(La Presse, Le Siècle, Le Journal des Débats, Le Charivari)*, cette note : « C'est par une erreur qui va être rectifiée que dans le *Dictionnaire des Contemporains*, le nom de *Goncourt* a été indiqué comme un pseudonyme de MM. Edmond et Jules de Goncourt, le nom patronymique de ces messieurs étant légalement *Huot de Goncourt* » (*J.*, t. III, p. 80).
(⁴) Cette deuxième édition de l'*Histoire de Marie-Antoinette*, revue et augmentée de documents inédits, parut en février 1859.
(⁵) Dans une lettre datée du 10 décembre 1858, Léonidas écrit à ses cousins que « les meilleurs notaires de Chaumont sont Mᵉ Lambert et Chevry ». Les Goncourt utiliseront les services de Mᵉ Lambert pour mettre en vente leur ferme des Gouttes-Basses. Léonidas parle ensuite de l'acte de vente de leur autre ferme sise au Fresnoy. L'acheteur, Fribourg, devait payer en six ans les 36 000 francs qui restaient dus sur la valeur de la ferme. Et il les alerte au sujet de leur notaire de Montigny-le-Roi, leur intermédiaire, Mᵉ Cornu, qui s'est séparé de biens

procuration que je signifie peut-être à 60 personnes qui ont acheté les parcelles de mon bien d'avoir à payer entre les mains de qui ?.... que veux-tu, quoique séparé de biens espérons qu'il est honnête homme, et attendons, en attendant il doit me faire le 3 janvier un payement de 6000^F et des intérêts de 36000^F ; une jolie institution de la France moderne que le notaire contemporain, c'est absolument comme si l'on avait des fonds placés sur les fonds espagnols.

Adieu mon frère et moi nous vous embrassons tous,

Edmond

Tu as reçu nos livres ?

avec sa femme. Augusta ajoute en note : « Léonidas n'a que le temps de vous écrire un mot, il veut seulement vous mettre en garde contre ceux qui pourraient bien partir avec votre argent. » Me Cornu rassurera ses clients le 10 janvier 1859 ; et de fait, les paiements de Fribourg s'effectueront normalement jusqu'à extinction de la dette, le 29 janvier 1864.

XXXIII

Dimanche 27 Mars 1859

MON CHER LÉONIDAS

Décidément nous jouons de malheur. Il y a un mois, nous avions tout lieu de croire que nous serions libres à Pâques. Nous avions promesse de la *Presse* pour paraître en Mars ; et nous nous faisions un grand plaisir, tu n'en doutes pas, d'aller nous reposer auprès de vous, en compagnie du jeune ménage, quand, patatra ! Le millionnaire archi-millionnaire qui possédait la *Presse* se ruine à peu près complètement, si complètement qu'on le fourre un peu à Mazas ; et la Presse change de mains ; et nous voilà remis, pour notre roman, au 20 avril ([1]). C'est pour nous une si grosse affaire, affaire non seulement d'argent, deux billets de mille francs à peu près, mais encore de nom et de position etc. etc., que nous

([1]) Outre les pressions défavorables de Gaiffe (voir L. XXXII, n. 2), les deux frères voient la publication de leurs *Hommes de lettres* retardée davantage par les difficultés de *La Presse*. En 1859, Polydore Milland, « le millionnaire archi-millionnaire », en difficulté, doit céder ses actions à un associé de Mirès, Solar, banquier et journaliste. Milland fut enfermé une journée au fort de Mazas, le temps de régler l'affaire.

voilà tenus à l'attache pour deux mois. Enfin que veux-tu ? la vie est un long contre-temps. Ce sera donc, si vous le voulez bien, partie remise. Il n'est pas à présumer que nous allions en Autriche cette année. Nous serons en guerre avec les Autrichiens avant trois mois ; et comme nous n'avons pas l'intention d'entrer à Vienne sur un boulet de canon, nous remettrons notre visite (²). Si aux vacances, vous voulez bien nous donner l'hospitalité de quelques semaines, vous aurez trois enfants au lieu d'un.

Comme Augusta ne me parle pas santé, je pense que tu boulottes, comme on dit, et que ça ne va pas trop mal. Nous comptons aller voir Marin et ta fille à la fin de cette semaine, et nous t'enverrons un bulletin sanitaire de l'un et de l'autre, ainsi que du moral du *petit homme* qui, d'après ce que m'écrit ta femme, est décidément remonté sur sa bête.

Je ne t'apprendrai pas sans doute, mauvais chrétien que tu es, que le pape branle dans le manche (³)... Mais il y a là matière à un tas de bavardages, de récits, et de causeries qui veulent le coin du feu, et que par conséquent je garde pour notre première rencontre.

Edmond et moi, nous vous embrassons et de tout cœur.

Jules

P.S. — Nous allons écrire sous quelques jours à Mr Henrys (⁴) pour avoir son dernier mot sur le prix de nos fermes des Gouttes. Nous vous le dirons, pour n'avoir pas l'air de nous en cacher vis-à-vis de vous.

(²) Le 1er janvier 1859, Napoléon III avait fait une constatation publique de son désaccord avec l'empereur d'Autriche sur les questions italiennes. L'Autriche ayant pris l'offensive contre les Piémontais, la France intervint en déclarant la guerre à l'Autriche, le 3 mai 1859. « Entrer à Vienne sur un boulet de canon » est une allusion à une aventure du baron de Crac, parent du baron de Munchaüsen (voir *Munchaüsen*, d'IMMERMANN, Berlin, Elissen, 1849, p. 118). Raspe, Bürger et d'autres avaient déjà imaginé les récits les plus fantaisistes au sujet du baron de Munchaüsen, célèbre mythomane ayant réellement existé.

(³) Les bruits d'une guerre contre l'Autriche en Italie remettaient en effet la souveraineté du Pape en question. L'empereur déclara la guerre le 3 mai 1859. Cette guerre d'Italie éloigna les catholiques du régime, favorables aux Etats de l'Eglise.

(⁴) M. Henrys, fils d'Elizabeth-Mathilde Diez et de Joseph Henrys. Sa fille Foedora épousa Léon Rattier, installé à Jean d'Heurs (voir L. VI, n. 3).

XXXIV

Paris ce 11 mai 60.

Mon Cher Léonidas

Voilà que tu nous traites déjà de grands paresseux, et que tu maudis les collatéraux, tu ne sais pas ce que c'est que la galère des lettres à l'heure présente, heure qui demande un travail et une production au-dessus des forces humaines ce qui donne aux littérateurs fatigués d'écrire, une invincible répugnance pour le commerce épistolaire, et une lâcheté pour tout travail de plume non contraint, non forcé, une lâcheté désolante. Ces jours-ci nous venons de mettre en vente deux volumes in 8º : *Les maîtresses de Louis XV* (¹), ce sont des courses, des entrevues avec l'éditeur, des rédactions d'annonces, enfin tout un emploi de la vie et des journées qui sont des circonstances atténuantes, nous ne t'envoyons pas les volumes, parce que nous acceptons de grand cœur ton aimable invitation et que nous comptons te les porter bientôt, nous avons été voir ta fille et ton gendre pour connaître leurs dispositions quant au départ, ils semblent disposés à partir du 25 au 30 nous attendons qu'ils fixent le jour et cette fois je te promets que nous ne manquerons pas le convoi.

Tu ne sais pas que tu as manqué perdre ce temps-ci tes deux malheureux cousins sur la route de Chaumont à Breuvannes où ils étaient allés pour remballer, six heures de voiture découverte dans une tempête de neige, nous avons cru y rester nous avions l'onglée jusqu'aux coudes. Ah ! le maudit pays il faut attendre les doléances de ce pauvre Colardez (²) qui m'a fait espérer qu'il viendrait vous voir cette année, on est obligé de baisser les baux, les fermiers se plaignent de ne plus avoir de bras pour le travail, abandonnés qu'ils sont par toute la population qui devient ouvrière, et le fermier de ton gendre qui m'a chargé de lui demander une diminution et de le prévenir qu'il ne voulait plus payer les pairs (³)

(¹) *Les Maîtresses de Louis XV* parurent en avril 1860 chez Firmin Didot.
(²) Edmond écrit « Colardez » et Jules « Collardez » (voir L. XXVII, n. 2). On peut lire dans le *Journal* la relation de cet « ennuyeux voyage d'affaires » et des bons offices de leur ami Paul Collardez pendant la semaine du 12 au 19 avril 1860 (cf. *J.*, t. IV, p. 7 à 12).
(³) Terme commercial ; voir L. XIII, n. 15.

que 11^F 50, et Colardez lui-même n'osant plus penser à un remballement qu'il a devant lui : on parle vaguement d'un chemin de fer dont le tracé doit presque passer sur les Gouttes cela relevera-t-il les propriétés du Bassigny ou cela les tuera-t-il tout à fait.

Je te remercie de la nouvelle que tu m'as donnée car j'aurais pu passer toute ma vie sans m'en douter, je te dirais que ce qui me chiffonne le plus là-dedans c'est que nous nous étions promis que le nom de Goncourt mourrait avec nous, et je crois qu'il finissait bien, convenablement, honorablement, tandis qu'avec ceux-ci... je ne suis pas que veux-tu aussi rassuré qu'avec mon frère qu'avec moi. Mais comme j'ai vu que mon grand-père et mon père y tenaient à ce nom et qu'au résultat cela avait été payé ; payé beaucoup trop cher selon moi, et que ce nom enfin j'en avais fait une propriété personnelle par des livres qui l'ont fait connaître en France et en Europe, j'ai adressé une réclamation au garde des sceaux, qui ne m'a répondu ce que j'attendais, et me prépare sur des renseignements que doit me donner ton gendre, et si ma réclamation ne doit pas me coûter plus de cinq à six cents francs à me pourvoir au conseil d'état, et à demander humblement au gouvernement de vouloir bien de ne pas donner si gratuitement quelque peu qu'il vaille un nom que j'ai quelque droit à considérer comme le mien (⁴).

Embrasse bien Augusta de notre part, et dis-lui que nous attendons avec une certaine impatience le jour qui nous réunira tous (⁵).

Ton cousin tout dévoué

Ed. de Goncourt

(⁴) *Le Bulletin des Lois* du 1ᵉʳ février 1860 ayant annoncé que MM. Jacobé Ambroise et Louis Jacobé son fils, né à Goncourt, étaient autorisés par décret impérial à ajouter à leur nom patronymique celui de Goncourt et à s'appeler Jacobé de Goncourt, ils entreprirent une action judiciaire devant la section du contentieux du Conseil d'Etat où ils furent appuyés par leur cousin Lefèbvre de Béhaine. On peut lire la réclamation qu'Edmond et Jules adressèrent au garde des Sceaux le 22 avril 1860 dans le *Journal* (cf. *J.*, t. IV, p. 14-15). Le ministre leur opposa que leur situation par rapport au nom de Goncourt était identique à celle des Jacobé dont l'aïeul avait acheté la terre de Goncourt en 1790 dans le bailliage de Chalons-sur-Marne, comme le leur avait acheté celle de Goncourt, dans le bailliage de La Marche. A quoi ils répondirent que l'aïeul des Jacobé avait acheté un bien national alors que le leur avait acheté une seigneurie pour laquelle il avait prêté foi et hommage à Louis XVI (cf. *J.*, t. IV, p. 182 à 185). En fin de compte, ils renoncèrent à leur procès.

(⁵) Les deux frères allèrent à Bar-sur-Seine du 1ᵉʳ juin au 10 juillet (cf. *J.*, t. IV, p. 27 à 43).

XXXV

Paris ce 20 Juillet 1860.

Mon cher Léonidas

1º Tu as dû recevoir ce matin par la poste : Le *Prince* de Machiavel. Je t'ai envoyé l'édition la plus estimée, celle qui contient en outre : les Discours sur Tite-Live (¹).

2º Je t'ai acheté un Brantôme, en deux volumes du Panthéon (²) : tout reliés. Mais comme le port en serait assez cher, je pense que tu préféreras que ta femme te le rapporte.

3º J'ai couru les libraires pour le *Recueil des chansons badines* de Piron, Collé etc. Ce livre est maintenant défendu, et assez rare, à ce que les libraires m'ont dit (³). De libraires en libraires, je suis remonté jusqu'à l'éditeur un nommé Béchet. Il n'en a plus. Donc, je ne l'ai point trouvé jusqu'ici. Mais comme je ne lâche pas mon idée, j'espère qu'un de ces jours une occasion me le fera tomber entre les mains.

Tu vois, que malgré tes prévisions nous ne t'avons pas oublié. Nous t'aurions envoyé le Machiavel plus tôt, et tu aurais reçu déjà de nos nouvelles, si en arrivant nous n'avions été tous les deux assez souffrants, moi de mon sacré foie, et Edmond des entrailles. Dieu merci ! j'espère que c'est fini. C'est aussi ce qui nous a empêchés d'aller jusqu'ici au collège Rollin voir ton fils. Mais nous comptons y aller au premier jour.

Nous avons vu avant-hier ta fille, ton gendre, Mʳ et Mᵐᵉ Lechanteur (⁴), par un très heureux hasard. Comme nous allions voir un

---

(¹) Il s'agit des *Œuvres politiques* de Machiavel, traduites par Périès. Edition contenant *Le Prince* et les *Décades* de Tite-Live, avec une étude, des notices et notes par M. Ch. Louandre, Paris, 1851.

(²) « *Le Panthéon littéraire*, collection universelle des chefs-d'œuvre de l'esprit humain », fondée le 25 avril 1835, comprend une centaine de volumes. Jules cite ici les *Œuvres complètes* de Pierre de Bourdeille, abbé séculier de Brantôme, Paris, 1838, 2 vol.

(³) Il s'agit des « *Chansons joyeuses de Piron, Collé, Gallet, etc...* Paris, 1811, 1815, 1816, 1822, 1836, 1840, in-64 de 2 feuilles condamné en 1822. Intitulé dans quelques éditions : *Chansons badines de Piron, Collé, etc...* On y joint parfois une suite de 5 figures libres. » (Notice de Jules Gay dans sa *Bibliographie des ouvrages relatifs à l'amour*, Paris, 1894.)

(⁴) L. XXIV, n. 3.

de nos amis à Bellevue ([5]), et que nous cherchions des yeux la maison ou Ludovic nous avait dit que sa mère habitait, nous nous entendons appeler d'une fenêtre. C'était précisément Ludovic et Eugénie, qui venaient de dîner chez Mme Lechanteur. Nous avons ainsi fait, par raccroc, une visite à toute la famille.

Nous ne partirons pour l'Allemagne qu'au mois de Septembre ([6]). Mais il se pourrait fort bien que nous *allassions* — excuse ce subjonctif — au commencement du mois prochain chez notre oncle ([7]) ; ce qui ferait notre appartement libre pour ta femme et Marin, si cela entre dans vos combinaisons. Je vous écrirai du reste positivement ce qu'il en sera d'ici à la fin du mois.

Adieu mon cher Léonidas, permets-nous de te remercier de ta bonne hospitalité. Nous vous embrassons, toi et ta femme de tout cœur. Veuillez bien nous rappeler aux bons souvenirs de Melle Marie ([8]).

Jules

([5]) Les Goncourt dînaient fréquemment chez Charles Edmond, à Bellevue, où il habitait avec une maîtresse nommée Julie. Ils y rencontraient parfois Flaubert, Saint-Victor, Gautier et d'autres hommes de lettres.

([6]) Sur ce voyage en Allemagne, voir la lettre XXXVI, n. 1.

([7]) Chez l'oncle Jules Lebas de Courmont à Croissy (voir L. VII, n. 9).

([8]) Mlle Marie Ponchard (voir L. VIII, n. 10).

XXXVI

Paris, ce 19 Decembre 1860.

MON CHER LÉONIDAS,

Il y a des éternités que nous ne t'avons écrit. Mais nous avons été sur les chemins presque jusqu'à ces temps-ci. Nous avons fait un immense tour en Allemagne, je ne sais pas combien de centaines de lieues, de Heidelberg à Berlin, de Berlin à Munich et de Munich à Vienne ; un charmant voyage au reste dont nous avons gardé le meilleur souvenir ([1]). Au retour, nous avons un peu couru la campagne ; on nous a hebergés chez notre oncle et chez des amis. Puis, quand nous avons repris tout à fait notre domicile parisien, nous avons eu à faire beaucoup d'affaires de littérature ; et de plus nous nous sommes mis dans un grand travail qui nous prend

([1]) On peut lire la relation de ce voyage effectué entre le 3 et le 30 septembre 1860 avec Saint-Victor dans le *Journal* (*J.*, t. IV, p. 67 à 95).

presque tout notre temps (²). Voilà, sinon l'excuse, au moins l'explication de notre longue et très longue paresse.

Décidément, ton petit volume est introuvable. Mais je me propose de te mettre à la poste, ces jours-ci, un équivalent beaucoup moins salé, mais qui, je l'espère, le sera néanmoins encore assez pour être à ton goût : un recueil de gaudrioles qui te fera patienter, et te prouvera que nous n'oublions pas les commissions de nos amis.

Tu diras à Augusta que nous faisons décidément le procès à MM. Jacobé, et que notre pourvoi au conseil d'état doit leur être signifié ces jours-ci (³). A ce propos, mon avocat me demande, en outre des pièces probantes très nombreuses que je lui ai remises, s'il n'y aurait pas dans la famille des actes ou baux au nom de mon grand-père. Je vous serais donc obligé, à ta femme et à toi, de voir dans les papiers que vous pouvez avoir ceux qui sont au nom de Huot de Goncourt.

J'ai vu ta fille et ton gendre ces jours-ci. J'ai été très fâché d'apprendre l'accident qu'elle m'a appris. Mais nous disons avec Edmond que cela est bon signe. C'est le commencement. Il ne s'agit plus que de mieux recommencer. Du reste, sa santé ne nous en parut nullement altérée.

Et toi, mon cher Léonidas, comment vas-tu ? Je pense que c'est bien ou du moins mieux. Car ta fille m'a dit que vous aviez été tous les deux passer quelques jours chez les Bourlon (⁴). — Voilà une partie qui me semble indiquer que tu es tout à fait remonté

(²) « Tous ces temps-ci, travaillé à notre roman de *Sœur Philomène*. Quel malheur de n'être plus assez solide pour travailler la nuit » (*J.*, t. IV, p. 114). Afin de se documenter sur le vif, les deux frères faisaient alors de nombreuses visites à l'hôpital avec le Dr Follin que leur avait présenté Flaubert.

(³) Sur l'affaire Jacobé, voir la lettre XXXIV, n. 4. Le 30 décembre 1860, leur cousin Léonidas écrivait de Bar-sur-Seine à Paul Collardez : « J'ai reçu plusieurs lettres de ces messieurs auxquels « je porte aux nerfs ». En vérité, je ne leur ai point répondu. Dernièrement encore ils m'ont écrit pour me demander si j'avais des titres concernant la ferme de Goncourt pour soutenir leur procès contre M. Jacobey qui s'est permis d'avoir la prétention de s'appeler de Goncourt. Je leur ai envoyé mes titres par Mme Labille en me dispensant de leur écrire. Je ne vois pas cependant comment deux ignobles et purs roturiers comme Huot et Jacobey, que je ne connais pas et que je crois fort honorables bourgeoisement parlant, mais roturiers à pleins bords, ne pourraient pas être deux pour porter le nom de Goncourt. Je vous le dis et en voici la preuve : ils sont si entichés de leur noblesse de hasard, quoique leur nom bourgeois de Huot, qui est honorablement connu, me paraisse de beaucoup préférable à ces colifichets de noblesse qui n'en seront jamais que le brouillon... » (Lettre déposée à la Bibliothèque de l'Arsenal, Archives Goncourt).

(⁴) Peut-être chez M. Bourlonne, maire de Bar-sur-Seine (voir *J.*, t. IV, p. 219).

sur ta bête et que si tu souffres encore par-ci, par-là, cela n'a plus rien de grave, ni d'inquiétant.

Nous n'avons pas encore vu Marin. — Eugénie nous a dit qu'il travaillait très bien. Nous irons le voir à la récréation de quatre heures et demie au premier jour. — Mais sapristi ! avec tous leurs embellissements de Paris, ils devraient bien rapprocher la rue St Georges de la rue des Postes.

Tu as sans doute appris par les journaux que notre jeune cousin Alphonse avait herité, sur la démission de son père, d'une place, de conseiller réferendaire de huit mille francs ([5]). — C'est très joli à son âge ; et avec 60 mille livres de rentes à l'horizon, cela fait du jeune homme un parti très recommandable. — Voilà toutes les nouvelles de la famille.

Sais-tu que votre chemin de fer n'est pas sûr, avec des assassinats comme celui de Mr Poinsot ([6]) ?

Sur ce, mon cher cousin, Edmond et moi nous t'embrassons très cordialement. Embrasse ta femme pour nous, et écris-nous

tes très devoués parents

Jules de G

([5]) Alphonse Le Bas de Courmont (1834-1880), fils de leur oncle Jules (voir L. VII, n. 9), est ainsi apprécié par ses cousins : « Savez-vous ce qui lui arrive aujourd'hui ? Avec 12.000 francs d'argent de poche, 60.000 livres de rente, quand il aura réalisé son père, il entre à la Cour des Comptes pour sept mille et quelques cents francs par an ; il déteste se lever le matin et il faut qu'il soit à huit heures là-bas » (*J.*, t. IV, p. 126-127).

([6]) M. Poinsot, président à la Cour impériale de Paris, fut assassiné dans le train au cours de la nuit du 5 au 6 décembre 1860 à la station de Troyes. Ce meurtre avait pour motif le vol. *La Presse* du 6 décembre 1860 remarque qu' « en Allemagne, en Belgique et dans d'autres pays, où les wagons d'un convoi communiquent entre eux, un pareil crime serait plus difficile à accomplir ; le meurtrier ne pourrait jamais être assuré de rester seul avec sa victime pendant un temps déterminé ; il ressort de ce douloureux événement une grave question à méditer ».

XXXVII

Paris, ce 10 Janvier 1862.

MON CHER LÉONIDAS

Nous avons beaucoup d'excuses à te faire pour t'avoir laissé si longtemps sans nouvelles. Mais nous méritons quelque indulgence, d'abord parce que nous sommes enfoncés dans un travail qui nous fait coucher tous les jours à deux heures du marin (¹) ; ensuite, parce que nous avons beaucoup pensé à tes commissions — sans qu'il y paraisse. Tu auras reçu avant cette lettre, ou tu recevras en même temps qu'elle le Dufrény que tu nous as demandé (²). Ce n'est rien que de te l'avoir acheté ; mais j'ai été forcé d'envoyer je ne sais combien de fois à la poste pour parvenir à te l'envoyer. Une première fois, ils ont demandé qu'il fût ficelé ; une seconde fois, ils ont demandé qu'on fît mention de l'envoi d'un libraire ; une troisième que cette mention fût une tête de facture de ce libraire. De guerre lasse, ils ont accepté ce matin l'adresse que j'ai mise d'un libraire quelconque, et dont tu n'as nullement à t'occuper.

Ceci fait et dit, — je ne perds pas de vue ton Béranger, le petit (³). Mais ce scélerat de libraire me le montre toujours comme la terre promise — de loin.

Ah ! ça, qu'est-ce que j'ai appris, l'autre jour en allant voir ta fille : Tu vas donc être grand père ? Nous vous faisons là-dessus, au grand père et à la grand mère, de bien sincères compliments, et nous en sommes bien heureux pour votre fille, pour votre gendre, et pour vous.

Nous comptons aller revoir Eugénie lundi ; et nous pensons la trouver en aussi bonne santé que la dernière fois.

Quant à Marin, il paraît qu'il se porte comme un Turc. J'espérais le voir pendant les vacances du jour de l'an. Les nouvelles qu'Eugénie m'a données de ta santé nous ont fait grand plaisir. Tu remontes décidément, comme on dit, sur ta bête. Je te prie de croire, mon cher Léonidas, que tu n'as pas d'amis plus enchantés que nous, de te voir reprendre santé, vie et force : et je finis en te donnant l'assurance que nous te souhaitons de tout cœur, pour l'année qui commence, ce que tu peux espérer, désirer et rêver.

Embrasse Augusta pour nous

ton cousin et ami

Jules de Goncourt

(¹) Les deux frères travaillaient alors à *La Femme au XVIIIᵉ siècle* qui parut la même année chez Firmin-Didot.
(²) Il s'agit des *Œuvres* de DUFRESNY, Briasson, 1747, 4 volumes.
(³) Sans doute l'édition des *Chansons*, Paris, 1829, gr. in-18.

XXXVIII

Paris, Dimanche 18 Mai 1862.

MA CHÈRE AUGUSTA

Nous vous remercions bien, ton mari et toi, de votre bonne invitation, et nous nous faisons un grand plaisir d'en profiter. Nous nous arrangerons pour partir avec Eugénie, et lui servir de compagnie pendant le voyage. Elle espère le chemin de fer jusqu'à Bar, et nous aussi.

Maintenant, ma chère Augusta, comme nous ne nous gênons pas avec toi, je viens te demander un service. Notre vieille Rose a été horriblement et un moment très gravement malade cet hiver. Elle va depuis quelque temps un peu mieux ; mais elle n'est pas encore bien valide. Mon médecin lui recommande la campagne. Veux-tu nous permettre de l'emmener avec nous ([1]) ? Ne t'inquiète en rien du logement. Je sais que tu n'as pas de place. Mais cela ne fait rien. Ou elle s'arrangera avec Catherine ([2]), ou bien nous lui louerons une chambre. — Réponds nous franchement, comme nous te le demandons ; si cela te gênait le moins du monde, nous nous arrangerions pour elle d'un autre coté.

J'ai vu ces temps ci Eugénie, qui a très bon teint, et m'a semblé reprendre des forces, et de la santé. Je suis persuadé comme toi que le voyage de Bar la remettra complètement de cette terrible secousse.

Pour Marin, avec lequel nous avons fait une grande partie d'armes, il a dû te l'écrire, c'est un gaillard qui grandit à vue d'œil, et qui devient fort comme un turc. Il a été très gentil, et je crois qu'il ne s'est pas trop ennuyé avec ses vieux cousins.

MON CHER LÉONIDAS

Je compte t'apporter quelques petits volumes de *gaudrioles* qui t'amuseront. Car la vie est si triste qu'il faut bien un peu rire, par-ci par-là.

A bientôt donc. Nous vous embrassons jusque-là de tout cœur les vieux enfants ([3])

Jules

([1]) Rose (voir L. XI, n. 9) étonnait beaucoup ses deux maîtres qui l'admiraient de « rester debout contre la fièvre, la faiblesse, les souffrances » (*J.*, t. V, p. 118).
([2]) Catherine, la domestique des Labille.
([3]) Voir L. XXIX, n. 3.

XXXIX

Paris, 2 Juin 1862

MA CHÈRE AUGUSTA,

Nous vous remercions bien, ton mari et toi, de vouloir bien nous laisser emmener Rose ([1]). Elle va mieux ces jours-ci, et Bar la remettra complètement. Je voulais, avant de t'écrire, voir ta fille ; mais un petit mot de Ludovic ([2]) m'apprend qu'elle et lui partent pour passer quelques jours à la campagne, avant de partir pour Bar. Ludovic me dit qu'elle compte toujours partir vers le 15.

Ainsi dans quinze jours nous serons chez vous. Je n'ai pas besoin de vous dire que nous attendons ce moment de réunion avec impatience ; d'ici là nous vous embrassons de tout cœur.

les vieux enfants

Jules

([1]) Ce séjour effectué en juillet 1862 est relaté dans le *Journal* et illustré de nombreux aphorismes (*J.*, t. V, p. 131 à 141).

([2]) Ludovic Lechanteur (voir L. XXIV, n. 3).

XL

Paris, ce 19 Août 1862

MON CHER LÉONIDAS

Nous avons enterré hier notre pauvre Rose ([1]). Depuis qu'elle est revenue ici, la maladie a marché d'une façon effrayante. Le médecin au bout de quelques jours ne nous a plus laissé d'espoir.

([1]) Après avoir emmené Rose à Bar-sur-Seine pour lui faire changer d'air (voir L. XXXVIII), les deux frères la ramenèrent à Paris où on l'emporta à l'hôpital Lariboisière. Elle y mourut le 16 août 1862. Le *Journal* évoque ses souffrances avec émotion. Sa mort fut un choc pour les deux frères : « Quelle perte, quel vide pour nous ! Une habitude, une affection, un dévouement de vingt-cinq ans, une fille qui savait toute notre vie, qui ouvrait nos lettres en notre absence, à laquelle nous racontions tout » (*J.*, t. V, p. 142 à 147).

Un poumon était tout à fait perdu, l'autre s'est engagé... Puis il est venu une complication de péritonite qui a fait cruellement souffrir la pauvre fille. Enfin le moment est venu Lundi dernier où il n'a plus été possible de la soigner dans sa chambre de domestique au cinquième. Nous avons été forcés de la transporter à l'hôpital. Elle n'a pas voulu aller à l'hospice Dubois parce qu'elle y avait vu mourir la nourrice d'Edmond. Notre médecin l'a fait entrer à l'hôpital Lariboisière, ou elle a été bien recommandée au médecin et à l'interne de sa salle. Mais il a fallu l'y conduire, et ç'a été pour nous comme le premier enterrement !

Heureusement, et c'est une grande consolation pour nous, la pauvre fille ne voyait pas son état. Elle etait heureuse d'entrer là, elle comptait en sortir guérie dans trois semaines. Jeudi, nous avons passé une heure auprès de son lit. Elle etait pleine d'espoir, et même gaie. Et puis le Samedi, à sept heures du matin, tout était fini.

C'est un grand chagrin pour nous, un grand vide, un grand déchirement. Voilà trois semaines que nous ne vivons plus. Les soins à ce pauvre corps si malade, les angoisses, le transport à l'hôpital, les démarches funèbres, la réclamation du corps, l'enterrement, tout cela nous a accablés moralement et physiquement. Nous avons besoin de changer d'air, de quitter cet appartement si triste. Nous avons besoin surtout d'un milieu d'affection et de tranquillité. Comme je sais l'affection que tu as pour nous, je viens te demander si cela ne te gênerait pas de nous donner l'hospitalité, encore une fois cette année, — pour une dizaine de jours. Réponds-moi à ceci comme je te le demande : franchement et sans te gêner le moins du monde. Si cela ne te dérange pas, tu nous rendras un véritable service en nous recevant. Si c'est le contraire, écris-nous le tout simplement. Nous ferons quelque petit voyage, au lieu d'aller vous serrer la main, et nous n'en serons pas moins, mon cher Léonidas,

> tes très affectionnés cousins
> et tes vieux amis
>
> Jules

Embrasse pour nous ta femme, et ton fils.

XLI

1er fevrier 1871.

MA CHÈRE AUGUSTA,

Comment te portes-tu (¹) ? Comment va ton fils ? As-tu des
nouvelles de ta fille et ton gendre ? Tes fermes ont-elles beaucoup
souffert. Auteuil a été criblé d'obus, la maison de mon voisin en a
deux (²), j'ai eu mon paletot coupé par un petit éclat dans le jardin
mais ç'a été tout le mal que le bombardement m'a fait.

Tout à toi du fond de ma
tristesse
Edmond de Goncourt

Réponds-moi de suite

(¹) Par négligence, Edmond a en fait écrit : « comment tu te portes-tu ? ».
(²) Cet obus tomba chez les voisins, les Louveau, le 16 janvier 1871 (voir *J.*
t. IX, p. 157).

XLII

Samedi 25 février 71

MA CHÈRE AUGUSTA,

J'ai reçu une charmante lettre de Marin qui se porte bien et
a l'air de (¹) supporter philosophiquement les misères de son état
de passage. Je lui ai répondu aussitôt, dans cette lettre je lui écrivais
que j'avais hâte de quitter Paris, que j'avais faim et soif de Bar-
sur-Seine ainsi, tu vois que j'ai aussi besoin de te voir, que tu aurais
du plaisir à me recevoir, mais malheureusement tu ne sais pas que
la villa est dans ce moment-ci complètement saccagée par les
mobiles, et les mobiles de l'Aube, qu'ils brûlent les parquets et les
portes des maisons où ils sont logés et qu'ils se répandent de là
dans les jardins voisins dont ils scient les arbres (²). Si je n'étais pas

(¹) Edmond a oublié ce « de ».
(²) Le 28 janvier un armistice de 21 jours est signé, pour permettre d'élire
une Assemblée nationale qui négocie la paix. L'armée régulière est ensuite désar-
mée, sauf 12 000 gardes mobiles destinés à assurer l'ordre.

resté ici tout le temps du siège, il ne me resterait que les quatre murs de ma maison, et comme je l'ai sauvée jusqu'ici, je veux tâcher par ma présence de la sauver jusqu'à la fin. Tu te doutes de ce que sont nos ennemis, mais tu ne te doutes pas de ce que sont nos sauveurs et nos protecteurs : de purs dévastateurs, et de plus des pillards. Hier il m'est tombé trois mobiles de Bar-sur-Aube, à loger jusqu'à leur départ et comme je leur offrais ne voulant pas les loger, de leur payer huit jours d'avance, ils m'ont réclamé un mois à partir du 30 janvier, tu vois 135 francs pour peut être quatre ou cinq jours, il a fallu courir à l'hôtel de ville où l'on a été indigné de la filouterie, et où on a fait courir le billet de logement du jour où ils s'étaient présentés, et où on les a forcés à ne pas recevoir plus de deux jours d'avance.

Tu as la bonté de penser à mon affaire je te dirai que cela monte plus haut que je ne le croyais, à ce qu'il paraît j'aurai une dizaine de mille francs à payer comme droit de succession (³). Vois si tu peux me les prêter pour quelques années avec intérêt bien entendu, mais vois bien si ça ne te gêne nullement, car si cela te gênait, je les payerais avec quatre actions de la Banque, malheureusement ma mère les a payées 3500, et elles valent à l'heure qu'il est 2500 : c'est à peu près une perte de quatre mille francs, mais dans ce moment qu'est-ce qui ne perd pas.

Les journaux me font du mal à lire, aussi je ne les lis plus, je ne sais pas grand chose mais le secret sur les négociations de la paix semble indiquer que les conditions imposées par les Prussiens sont terribles et veulent l'anéantissement de la France (⁴). J'entends des gens qui passent sur le boulevard, dire qu'il y a des attroupements immenses à la place du Trône, espérons que cela ne va pas amener de nouveaux malheurs, fournir un prétexte pour l'occupation prussienne de Paris.

Je t'embrasse tendrement et espère être bientôt débarrassée de la canaille d'ici pour passer quelques jours tranquilles avec toi.

Edmond de Goncourt

(³) Parmi une dizaine de lettres adressées à Me Tixier qui s'occupait de la succession de son frère, Edmond nous a laissé un brouillon de ses comptes intitulé : « Droits succession Jules : 11.500 F » (Bibliothèque de l'Arsenal, Archives Goncourt).

(⁴) Dans les préliminaires de paix de Versailles, la France perd l'Alsace-Lorraine, doit rembourser une indemnité de guerre de 5 milliards de francs-or et subir une occupation de trois ans dans l'Est.

XLIII

Lundi 29 mai

MA CHÈRE AUGUSTA

Je suis vivant et ma maison quoique fortement obusée est debout. C'est le courage de Pélagie qui l'a sauvée, elle est restée quinze jours à la cave, sous une grêle d'obus et de balles qui traversaient entièrement la maison, elle a empêché qu'elle fût pillée et brûlée, ce qui est arrivé à peu près à toutes les maisons qui m'entourent ([1]). Aussitôt que j'aurai fait faire les réparations les plus urgentes, (un obus a éclaté au second, j'irai vous voir, d'ici là Marin serait bien gentil s'il pouvait me négocier un emprunt de 10000 pour payer les tristes droits ([2]).

Nous en avons passé par de dures.

Ecrivez-moi.

Je vous embrasse tous les deux

Edmond de Goncourt

([1]) Pélagie Denis, née en 1831, entra au service des Goncourt en 1868 et resta au service d'Edmond jusqu'à la mort de celui-ci.

Le 17 avril, Edmond, épuisé d'insomnies, décide de se réfugier chez un cousin, rue de l'Arcade. Le 4 mai, les nouvelles d'Auteuil sont mauvaises : les obus pleuvent autour de la maison. Entre le 22 et 27 mai, les Versaillais écrasent la Commune. Il y a 20 000 morts chez les Parisiens. Au beau milieu de cette semaine sanglante, Edmond rentre dans sa maison d'Auteuil. La brave Pélagie ne lui en veut pas de l'avoir laissée seule : « Elle me conte que, tout le temps, elle a couché habillée, ayant pour le moment où le feu prendrait la maison, un paquet de ses hardes les plus précieuses, l'argenterie de la maison, disposée pour la mettre dans ses poches, et un matelas pour se mettre sur le dos, à l'effet de se préserver de tout ce qui vous tombait dehors sur la tête » (*J.*, t. X, p. 9).

([2]) Voir L. XLII, n. 2.

ANNEXES

I / APERÇU BIOGRAPHIQUE

Nous avons indiqué entre parenthèses les lettres qui avaient un rapport avec le fait cité.

1822   Le 26 mai, naissance à Nancy d'Edmond de Goncourt, fils de Marc-Pierre Huot de Goncourt et de Annette-Cécile Guérin (voir les deux tableaux de la parenté des Goncourt).

1830   Le 17 décembre, naissance à Paris de Jules de Goncourt.

1841-1847   Après des études au collège Henri-IV et une rhétorique au collège Bourbon, Edmond entre comme stagiaire chez Me Fagniez en 1841. Il obtient ensuite un emploi à la Caisse du Trésor qui n'a pour lui aucun intérêt (L. I, II). Jules poursuit de brillantes études au collège Bourbon.

1848   Leur oncle Pierre-Antoine-Victor Huot de Goncourt est élu à l'Assemblée constituante (L. III). Edmond redoute les conséquences de cette période révolutionnaire (L. V, VIII). Leur mère s'éteint le 5 septembre (L. VI).

1849   Jules est reçu bachelier (L. IX).
Edmond, qui déteste les chiffres, et Jules, qui a affirmé sa volonté de « ne rien faire », profitent de la petite fortune qui leur échoit pour voyager en France et en Algérie et remplir leurs carnets de voyages de croquis et de notes descriptives qui les amènent peu à peu à la littérature (L. X, XI, XII, XIII).

1851   Installés à Paris, 43, rue Saint-Georges, ils collaborent à diverses revues, écrivent deux vaudevilles et font paraître leur premier roman : *En 18...*, au lendemain du coup d'Etat de Louis-Napoléon Bonaparte. « Pauvre *En 18...* ! il tombait bien ! Une symphonie d'idées et de mots en cette curée » (*J.*, t. I, p. 44).
Leur oncle Pierre-Antoine-Victor est arrêté puis relâché (L. XVI, XVII).

1852   Compte rendu du *Salon de 1852*, premier essai de critique d'art.
            Ils collaborent avec leur cousin Pierre-Charles de Villedeuil à la
            fondation de *L'Eclair* (L. XVIII).

1853   En remplacement de *L'Eclair*, leur cousin lance *Paris*. Un article
            paru dans ce dernier le 15 décembre 1852 leur vaut un procès litté-
            raire (L. XIX). Ils obtiennent un acquittement avec blâme (voir *J.*,
            t. I, pp. 89 à 102).

1854   Après diverses plaquettes sur les mœurs contemporaines paraît leur
            première étude historique sur le xviiie siècle : *Histoire de la Société
            française pendant la Révolution* (L. XX).

1855   Publication de l'*Histoire de la Société française pendant le Directoire*
            (L. XXI). La série de ces études, qui comprend sept titres, se termi-
            nera en 1862 avec *La Femme au XVIIIe siècle*.
            Année de l'Exposition universelle (L. XXII).
            Pendant l'hiver, voyage en Italie jusqu'en mai 1856 (L. XXIII,
            XXIV).
            Ils en rapportent un carnet de notes et d'aquarelles.

1856   Publication d'*Une Voiture de masques* et préparation des *Portraits
            intimes du XVIIIe siècle*, publié en 1857 (L. XXV).

1857   *Publication de Sophie Arnould.*
            Leur oncle Pierre-Antoine-Victor meurt le 12 juillet (L. XXVII).

1858   Publication de l'*Histoire de Marie-Antoinette* (L. XXIX, XXX).

1859   Publication du premier fascicule de *L'Art du XVIIIe siècle : les
            Saint-Aubin*. Onze autres monographies seront publiées jusqu'en 1875.

1860   Leur premier vrai roman : *Les Hommes de lettres*, dont le titre définitif
            sera en 1868 *Charles Demailly*, a quelques difficultés pour paraître
            (L. XXXII, XXXIII).
            Publications des *Maîtresses de Louis XV* (L. XXXIV).
            Voyage en Allemagne (L. XXXV, XXXVI).

1861   Voyage en Rhénanie et en Hollande.
            Publication de *Sœur Philomène* (L. XXXVI).

1862   Publication de *La Femme au XVIIIe siècle* (L. XXXVII).
            Le 16 août, leur servante Rose meurt à sept heures du matin (L. XL).
            Le soir même, ils délaissent leur existence boulevardière et commencent
            une vie plus mondaine avec leur premier dîner chez la princesse
            Mathilde dont ils seront longtemps les familiers. Ils retrouvent dans
            son salon leurs amis : Flaubert, Gautier, Saint-Victor. Gavarni prend
            l'initiative des « dîners Magny » (du nom du restaurant) qui réunirent
            régulièrement jusqu'en 1870 Chennevières, Saint-Victor, Taine, Renan,
            Gautier, Flaubert, Saint-Beuve, George Sand, Tourgueneff.

1864   Publication de *Renée Mauperin*.

1865   Publication de *Germinie Lacerteux.*

Le 5 décembre, première d'*Henriette Maréchal* à la Comédie-Française ;
le réalisme de la pièce et plusieurs cabales font interdire les repré-
sentations après quelques soirées, mais le scandale assure aux
Goncourt une renommée définitive. Cet échec commence à user les
nerfs de Jules qui note avec amertume dans le *Journal* : « Je remarque
que ma date de naissance est toujours marquée par un événement
dans notre vie. Il y a une dizaine d'années, notre poursuite en police
correctionnelle avait lieu à propos d'un article paru le 15 décembre.
Aujourd'hui notre pièce est supprimée » (*J.*, t. VII, p. 149).

1866   Publication d'extraits du *Journal* sous le titre *Idées et Sensations.*
L'ouvrage n'a aucun succès.
La mort de Gavarni, le 25 novembre, les laisse seuls et sans amis
véritables.

1867   Séjour documentaire à Rome pour la préparation de *Madame
Gervaisais* qui paraîtra en février 1869 et sera un nouvel échec.
Une deuxième pièce, *La Patrie en danger*, est refusée.
Publication de *Manette Salomon.*

1868   Epuisés nerveusement, ils s'installent à Auteuil, 67, boulevard de
Montmorency.

1870   En janvier commence pour Jules une lente et terrible dégradation
intellectuelle et morale, décrite par Edmond dans le *Journal*, et qui
aboutira à sa mort le 20 juin. « Dans ses yeux une expression de
souffrance et de misère indicible. Créer un être comme celui-ci, si
doué, si intelligent, et le briser à trente-neuf ans ! Pourquoi ? »
(*J.*, t. VIII, p. 247).

1871   Auteuil subit les dommages de la guerre (L. XLI, XLII, XLIII).

1873   Edmond rencontre chez Flaubert Alphonse Daudet qui sera, avec
sa femme, la grande amitié de ses vingt dernières années.
Publication de *Gavarni*, dernier ouvrage écrit avec son frère.

1877   Publication de *La Fille Elisa.*
Edmond se désolidarise de l'école naturaliste tout en revendiquant
sa qualité de précurseur.

1879   *Les Frères Zemganno.* Edmond publiera encore deux romans : *La
Faustin* en 1882, et *Chérie* en 1884 ; la fin de sa vie sera consacrée
à des monographies sur des actrices du xviiie siècle, à l'édition de
neuf volumes du *Journal* à partir de 1887, et à la transposition au
théâtre de plusieurs de ses romans, en particulier *Manette Salomon*
et *La Faustin* ; en général, ces pièces furent de nouveaux échecs.

1881   *La Maison d'un artiste*, description des collections rassemblées dans
la maison d'Auteuil.

1885   Début des réceptions dans le « grenier », où vinrent notamment Daudet, Zola, Geffroy, Mallarmé, Mirbeau, Lorrain. L'idée d'une Académie y germa.

1891   *Outamaro.*

1896   *Hokousaï.*
        Edmond meurt le 16 juillet à Champrosay dans la maison de campagne des Daudet. Le testament fonde l'Académie dont les premiers membres, désignés par Edmond, furent Daudet, Huysmans, Mirbeau, Rosny aîné, Rosny jeune, Hennique, Paul Margueritte.

II

PARENTÉ DES GONCOURT : DU CÔTÉ PATERNEL

Jean-Antoine Huot de Goncourt ép. Marguerite-Rose Diez
d'où trois enfants :
1º Marguerite-Rose
(née en 1781)
ép. M. Curt, brasseur à Bar-le-Duc

2º Pierre-Antoine-Victor
(1783-1857)
entrepreneur de tabac à Neufchâteau, représentant à l'Assemblée de 1848
ép. sa cousine Virginie Henrys

Bathilde-Antoinette-Augusta
(1815-1871)
ép. Léonidas-Eugène Labille
(1803-1868)
propriétaire à Bar-sur Seine

Noémie-Antoinette-Eugénie Labille
(née en 1837)
surnommée Mimie
ép. Ludovic Lechanteur
auditeur au Conseil d'Etat

Eugène-Auguste Labille
(1846-1930)
surnommé Marin
ou Abillon

3º Marc-Pierre
(1787-1834)
chef d'escadron sous l'Empire mis en demi-solde en 1819
ép. Annette-Cécile Guérin
(1798-1848)

Emélie
(1823-1832)

Edmond
(1822-1896)

Jules
(1830-1870)

Une belle-sœur de Jean-Antoine Huot de Goncourt, Elisabeth-Mathilde Diez, épousa Joseph Henrys. Leur petite fille Foedora Henrys épousa Léon Rattier, propriétaire de Jean d'Heurs, près de Bar-le-Duc.

PARENTÉ DES GONCOURT : DU CÔTÉ MATERNEL

Marie-Félicité Laurens de Villedeuil
ép. Louis Monmerqué
|
Adélaïde-Louise Monmerqué
épouse en premières noces
Louis-Marie Lebas de Courmont de Pomponne
puis François-Pierre Guérin
Elle a trois enfants de son premier mariage, deux de son second

Armand Lebas Courmont (1786-1832)	Jules Lebas de Courmont (1789-1865)	Elisabeth Lebas de Courmont (1790-1837)	Anne Cécile Guérin (1798-1848)	Alphonse Guérin (né en 1799)

Jules Lebas de Courmont, que les Goncourt appellent « notre oncle », châtelain de Croissy-Beaubourg, conseiller à la Cour des Comptes, avait épousé Nephtalie Lefebvre de Béhaine, modèle de Mme Gervaisais.

Marie-Félicité de Villedeuil avait un frère, Pierre-Charles-Louis (1742-1828). Ce dernier eut deux filles et deux fils. Un de ses fils, Claude-Charles Laurent, comte de Villedeuil (mort en 1861), eut à son tour un fils : Pierre-Charles-Laurens, comte de Villedeuil (1835-1906). Ce cousin d'E. et J. de Goncourt, littérateur sous le nom de Cornélius Holff, fonda *L'Eclair* en 1852 puis *Paris* en 1853 avec l'aide des deux frères.

PRINCIPALES ÉTAPES

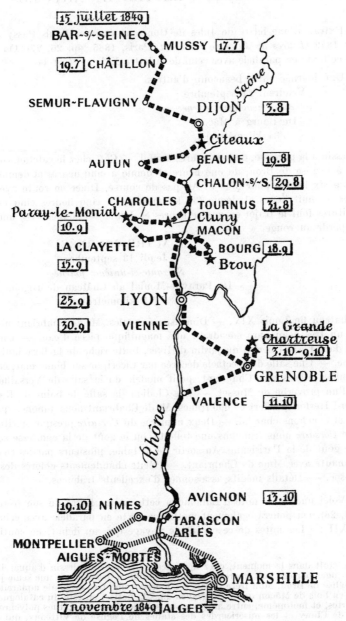

Voir : Lettre X, de Bar-sur-Seine à Châtillon ; Lettre XI, de Châtillon à Dijon ;
Lettre XII, de Dijon à Nîmes ; Lettre XIII, Alger.

IV / FRAGMENTS : LETTRE ET ARTICLES

A) Extrait d'une lettre de Jules de Goncourt écrite à Louis Passy en septembre 1849 (*Lettres de Jules de Goncourt*, Paris, 1885, pp. 26, 27). On pourra mettre ce texte en parallèle avec celui de la lettre XII (n. 24 et 34).

      Une journée entre beaucoup d'autres.
              Vendredi 21 septembre
            Soixante neuvième journée
            De Bourg à Mâcon.
              (34 kilomètres)

« Dessin à la paroisse, de huit heures à midi. — Café chez le cafetier voisin. — Dessin à l'église de Brou, de une heure et demie à cinq heures et demie ([1]). — Départ à six heures pour Mâcon. Au pas de course. Diner en route avec deux brioches — huit lieues et demie (34 kilomètres) en cinq heures cinq minutes. Les voitures font le trajet en quatre heures et demie. — Souper avec une truite et un perdreau rouge. »

              AUTRE JOURNÉE
             Jeudi 13 septembre
          Soixante-et-unième journée
     De Paray-le-Monial au Château de Digoine.
             (15 kilomètres).

« Chateau fin Louis XIV. — Dimensions royales. M. de Chabriant nous fait visiter un très beau parc encadrant une magnifique pièce d'eau. — Une serre conçue dans l'esprit aérien du jardin d'Hiver, toute riche de la flore indigène et exotique. — Une salle de spectacle décorée par Ciceri, or sur blanc mat, écussons des familles alliées aux Chabriant, petit modèle de la salle de Versailles, vrai cadre d'un proverbe de Musset. — Des Clodion (la salle de bains de Besenval) dont lord Herfort a offert 65,000 francs. M. de Chabriant nous annonce que nous dînons et couchons chez lui. — Deux numéros du *Corsaire* presque spirituels. — Avec le *Corsaire* nous trouvons une toilette, où le goût de la comtesse se marie avec le goût de la Parisienne. Au sortir de la table, plusieurs parties russes, en communauté avec Mme de Chabriant. — Récits chaudement colorés des temps démoc-soc. — Détails inédits assaisonnés d'excellents trabucos. »

B) Voici une autre note d'Edmond à cette même lettre de son frère Jules (pp. 27, 28). On pourra également mettre ce texte en parallèle avec celui de la lettre XII : « Les notes de ce carnet de voyage qui, au début, ne contiennent

---

([1]) C'était dans le moment, chez nous deux, une rage de dessin d'aquarelle ; l'on peut en juger par ces huit heures, que nous passions à dessiner, en une seule journée, dans l'église de Brou. Mon frère faisait ces jours-là, une très originale aquarelle d'une maison en bois de Mâcon qui a été gravée dans la notice, en tête du catalogue de ses eaux-fortes, et moi-même, entre autres croquis je dessinais les statues polychromes de l'église de Cluny et les miséricordes des stalles de l'église de Vitteaux, qui ont été chromolithographiées dans le *Moyen Age* et la *Renaissance* de Lacroix et de Seré.

guère que les menus, des repas et le nombre des kilomètres faits dans la journée, à mesure que nous voyons du pays et de l'humanité de grand chemin, deviennent, chaque jour, un peu plus, des espèces de notes littéraires. En voici une sur la Chartreuse :

« De Voreppe à la Grande-Chartreuse. — Torrent de Guiers-Mort. Une scierie couleur de suie, aux aqueducs de sapin, assise dans le torrent, reliée à la roche par un pont qui sert de cadre à un pilotis de bois où se brise une cascade, s'enlève de la manière la plus tranchée sur les bleuâtres découpures de deux roches, les portes du Désert. — Mugissement continu du torrent, brisé par le susurrement argentin de mille cascatelles bondissant de tous côtés. — Une jeune miss croquant le site à dos de mulet ; cent cinquante pas plus loin, une seconde miss de la même famille ; plus loin, père et mère à l'aspect désolés ; cent cinquante pas plus loin, la troisième et dernière miss. — Seconde porte du Désert, fortifiée en 1720 contre la menace d'une attaque de Mandrin. — Toujours la grande voix du torrent, qui vous jette dans une contemplation veuve d'idées. — Clochettes des mulets chargés de charbon : frôlement des troncs d'arbres attelés de bœufs. — Marches d'escaliers ébauchées par des filtrations de l'eau. — Végétation de temps primitifs. — Gigantesques sapins dallant des lits de torrents creusés par l'avalanche dernière. — Le torrent s'éloigne, la lumière s'éteint, et des voûtes où le rossignol ne chanta jamais, s'ouvrent mornes et silencieuses. — La Chartreuse ! Immense agglomération de bâtiments aux pointes aigues d'ardoise. — Drelin ! drelin ! drelin ! — Un magnifique crâne, encadré dans un capuchon de laine, nous ouvre. — C'est le frère portier. Il nous offre dans sa loge deux petits verres de chartreuse deuxième. — Et de vingt centimes. — Le roi des hasards nous amène à la Chartreuse, le jour de Saint Bruno. — De frères point, au premier, au deuxième, au troisième coup de sonnette. — Le frère portier nous dépose, sans le moindre renseignement, *in camera provinciarum Franciae*. Immense réfectoire. Des fenêtres à châssis de plomb laissent filtrer le jour. — Des tables, de l'eau et de la liqueur de la Grande-Chartreuse. — Un garçon laïque à rôle d'idiot paraît enfin, nous assigne les cellules C et B, et disparaît. — Et le souper. — Nous promenons notre estomac désolé dans la cour. — Circumnavigation autour du monastère. — Détails sur la vie de nos hôtes : pas de linge, un cilice ; pas de lit, une paillasse ; ou le costume de la journée leur sert de drap ; jeûne de huit mois de l'année ; abstention d'aliments gras même en danger de mort ; les vendredis de l'eau et du pain ; coucher à cinq heures ; réveil à dix heures ; oraison ; office, oraison jusqu'à trois heures du matin, oraison à cinq heures. Un spaciement de trois heures par semaine ; les détails de la boutique (liqueur et spécifique ; on parle d'un débit de 1,200,000 par an) ont fait aux disciples de Saint Bruno, de la communion perpétuelle avec la nature, une promenade de collégiens. Chaque frère habite un pavillon contenant deux pièces, un cabinet d'études, un oratoire, un bûcher, un petit atelier, et cultive un jardin. — Dix ans de noviciat. — Nous apprenons que les touristes femelles et anglaises que nous avons rencontrées, de dépit de voir leur sexe exclu du monastère, ont refusé repos et nourriture, maudissant le peu de galanterie de saint Bruno. — De la camera d'Italie, réservée aux ecclésiastiques, le souper nous rappelle en France. — Souper de Chartreux, friture de poissons et de pâtes, pomme, beurre, fromage. — De concert avec un voyageur qui descend du Gransom, nous attendons, autour d'un feu de Noël, l'office de nuit. A onze heures, dans l'église complètement obscurée, une procession de lanternes nous annonce l'arrivée des frères. — Les frères ont déjà garni de leurs statues de marbre blanc, les stalles du porche de l'église. — Psalmodie nasillarde des psaumes avec éclipses de lanternes. — Mise en scène au-dessous de sa réputation. Nous regagnons nos cellules. Parmi les signatures qui les paraphent, nous trouvons celle-ci : Julie. »

Enfin en Algérie, la beauté et l'originalité du pays font des petites remarques, des observations par nous écrites sur le pauvre carnet, des notes de lettré, notes bien incomplètes, bien inférieures aux descriptions futures de Fromentin, mais des notes cependant pas tout à fait méprisables, et dont on peut juger le faible mérite dans *L'Eclair* où elles ont paru. Au fond c'est ce carnet de voyage qui nous a enlevé à la peinture, et a fait de nous des hommes de lettres, par l'habitude que nous avons prise peu à peu d'y jeter nos pensées et nos visions, et par l'effort, tous les jours plus grand et plus entêté, de leur trouver une forme littéraire. »

C) Extrait d'une lettre de Jules à Louis Passy, écrite d'Alger le 24 novembre 1849 (*op. cit.*, p. 31). Ce texte, ainsi que le suivant (par. D.), pourra être mis en parallèle avec le début de la lettre XIII : « Des rues, mon cher, où on ne peut passer qu'une personne de front ! Et tout cela émaillé de costumes... Quels costumes ! Ecoute !

Rues animées par la bigarrure étrange, pittoresque, éblouissante d'une Babel du costume. L'Arabe drapé dans son burnous blanc ; — la juive avec la sarma pyramide ; — la Mauresque, fantôme blanc aux yeux étincelants ; — le nègre avec son madras jaune, sa chemise à raies bleues ; le Maure à la culotte rouge houppée de bleu, à la veste rouge, au caleçon blanc, aux babouches jaunes ; les enfants israélites chamarrés de velours et de dorures. — le Mahonnais au chapeau pointu à pompons noirs ; — le riche Turc au cafetan étincelant de broderies ; — le zouave — et comme repoussoir à ce dévergondage de couleurs les plus heurtées et les plus éclatantes, la triste uniformité de nos habits noirs. »

D) Début de *Alger, 1849. Notes au crayon* paru dans *L'Eclair* en janvier 1852, pp. 44-45.

« A cinq heures, la Côte d'Afrique sort de la brume du matin. — A six, un triangle de neige s'illumine aux premiers feux du soleil et s'argente comme une carrière de Paros. — Envahissement du vapeur par une horde de portefaix algériens qui s'excitent au transbordement des malles, à grand renfort de sons gutturaux. — Porte de France. — Rue de la Marine. — Hôtel de l'Europe — Bab-a-Zoun et Bab el-Oued, rues animées par la bigarrure étrange, pittoresque, éblouissante d'une Babel du costume. L'Arabe drapé dans son burnous blanc ; la juive coiffée de la Sarma pyramidale ; la Moresque, fantôme blanc aux yeux étincelants ; le Nègre avec son madras jaune, sa chemise à raies bleues ; le More à la calotte rouge houppée de bleu, à la veste rouge, au caleçon blanc, aux babouches jaunes ; les enfants maures, israélites, chamarrés de velours et de dorures ; le Mahonnais au chapeau pointu à pompon noir ; le riche Turc au cafetan rutilant de broderies ; le zouave, de marins débraillés venus des quatre coins du monde, et, comme repoussoir à ce dévergondage oriental des couleurs les plus heurtées et les plus éclatantes, la triste uniformité de nos draps sombres. »

E) Extrait de *Alger, 1849. Notes au crayon*, paru en avril 1852, p. 104. Voir la lettre XIII : « Le kaouah (café), introducteur chez les Moresques. — Une négresse emmaillotée dans une toile à matelas. — Accroupis sur un tapis de Smyrne, nous prenons dans des tasses de figuier le café sans sucre et accompagné de son marc. — Ertoutcha, Aïcha, Fatma : — Ertoutcha, grâcieuse femme de treize ans ; — Fatma, la mutinerie d'une parisienne ; — Aïcha, la langueur d'une orientale. — Sourcils charbonnés et reliés par une étoile. — Ongles teints. »

INDEX DES NOMS CITÉS
DANS LA CORRESPONDANCE

LISTE DES PLANCHES HORS TEXTE

entre pages 32 et 33

N.B. — Les documents des planches 2 *(a, b)* et 3 *(a, b)* sont extraits de l'ouvrage de Philippe BURTY, *Jules de Goncourt. Eaux-fortes. Notice et catalogue*, Paris, 1876.

TABLE DES MATIÈRES

Edmond et Jules de GONCOURT
Lettres de jeunesse inédites

Nous avons indiqué entre parenthèses les indices permettant de justifier la datation des lettres non datées.